이탈로 칼비노의 문학 강의

이탈로 칼비노의 문학 강의

새로운 문학의 길을 찾는 이들에게

이탈로 칼비노 지음
이현경 옮김

에디토리얼

일러두기

1. 단행본은 겹낫표(『 』), 단편·논문·기사·기고문은 홑낫표(「 」), 일간지·학술지·문예지 등의 정기간행물과 미술작품·영화·공연·전집 등은 홑화살괄호(〈 〉)로 묶었다.
2. 칼비노의 기고문과 한국어로 번역된 단행본에는 원어를 병기하지 않았다.
3. 외래어의 띄어쓰기는, 이미 굳어진 용례를 제외하고는 원어에 따랐다.
4. 일부 원주를 제외하고 각주는 모두 옮긴이 주석이다.

서문

에스더 칼비노

이탈로 칼비노의 유작인 이 책의 초판은 1988년 밀라노의 가르찬티 출판사에서 출간되었다. 칼비노가 이 책의 주제와 작업에 관한 글이나 인터뷰를 남기지 않았기 때문에(칼비노는 강의를 준비하던 중 갑자기 사망했다) 에스더 칼비노Esther Calvino가 초판에 쓴 소개의 글 전문을 다시 싣는다.

1984년 6월 6일 칼비노는 하버드 대학교로부터 찰스 엘리엇 노턴 시학 강의Charles Eliot Norton Poetry Lectures를 맡아 달라는 공식 요청을 받았다. 매사추세츠주 케임브리지에 있는 하버드 대학교의 한 학년도(칼비노는 1985~86학년도를 맡게 되었다) 과정에 마련될 여섯 번의 강의였다. 여기서 '시학'Poetry이라는 용어는 문학, 음악, 미술을 포함한 모든 형식의 시학적 커뮤니케이션을 의미하며 주제 선택은 완전히 자유였다. 글쓰기에서 강제성이 매우 중요하다고 확신하던 칼비노가 직면한 첫째 문제는 바로 이 자유였다. 자신이 다룰 주제—2000년대에도 보존되어야 할 몇 가지 문학적 가치—를 명확히 결정한 순간부터 칼비노는 이 강의 준비에 거의 모든 시간을 바쳤다.

이 강의는 곧바로 그에게 강박관념이 되어버렸다. 어느 날 그는 내게 예정된 여섯 번이 아니라 적어도 여덟 번 강의를 할 만한 아이디어와 주제 들을 가지고 있다고 말했다. 여덟째가 되었을지도 모를 강의의 제목은 "(소설의) 시작과 끝에 대하여"인데, 지금까지도 그 원고는 찾지 못했다. 메모들만 남아 있을 뿐이다.

그가 미국으로 출발하려던 무렵 여섯 차례 강의 중 다섯 차례 강의 원고는 이미 완성된 상태였다. 여섯째 강의인 '일관성'consistency만 미완으로 남아 있었는데 나는 그 강의에서 허먼 멜빌의 『필경사 바틀비*Bartleby*』를 언급할 생각이었다는 것만 알고 있다. 해당 원고는 하버드에서 쓸 계획이었다. 물론 이 책에 실린 원고들은 칼비노가 강의에 사용하려던 원고들이다. 그리고 칼비노는 분명 출판되기 전에 다시 교정을 보았을 것이다. 하지만 크게 내용이 바뀌지는 않았으리라고 나는 확신한다. 내가 처음 읽었던 원고와 마지막으로 살펴본 원고에서 나타난 차이점은 내용이 아니라 구성이었다.

이 책은 내가 발견한 타자 원고 그대로이다. 언제가 될지는 모르지만, 칼비노의 자필 원고들에 대한 비평서가 나올 날이 있을 것이다. 칼비노가 사용한 영어는 그대로 두었고, 인용문들도 원어 그대로 두었다.

이제 가장 어려운 문제인 제목이 남아 있다.

칼비노는 이 책의 이탈리아어 제목을 남기지 않았다. 먼저 그는 영어 제목을 생각해야 했는데 '다음 천년기를 위한 여섯 가지 메모'Six memos for the next millennium가 최종 제목이 되었다. 이 제목이 이탈리아어로는 어떻게 바뀌었을지는 알 수 없다. 나는 결국 제목을 '미국 강의'Lezioni americane로 결정하게 되었는데, 이유는 칼비노가 보낸 마지막 여름에 가끔씩 아침이면 찾아오던 피에트로 치타티의 인사 때문이었다. 그의 첫 인사는 언제나 "미국 강의는 어떻게 되어 가지?"였다. 그러면 칼비노는 미국 강의에 대해 이야기했다.

이것으로 충분하지 않다는 것을 나는 안다. 칼비노는 여러 나라 언어로 번역된 자신의 책 제목에 어떤 통일성을 부여하고 싶어 했다. 『팔로마르*Palomar*』(1983)라는 제목은 바로 그런 이유로 선택되었다. 'for the next millennium'도 이탈리아어 제목에서 한몫했으리라는 것을 안다. 칼비노는 적절한 영어 제목을 찾으려고 다양한 시도를 하면서도 'for the next millennium'은 언제나 그대로 두었다. 그러한 이유로 나 역시 이 제목을 그대로 두었다.

덧붙여 말하자면 타자 원고는 완전히 정리된 상태로 그의 책상에 놓여 있었다. 개별 강의 원고는 투명 서류철에 들어 있었고, 모두 단단한 서류철에 함께 담아 여행가방에 넣을 준비가 되어 있었다.

'노턴 강의'는 1926년에 시작되어 T.S. 엘리엇, 이고르 스트라빈스키, 호르헤 루이스 보르헤스, 노스롭 프라이, 옥타비오 파스 같은 인물들이 강의했다. 이탈리아 작가에게 강의가 제안된 것은 칼비노가 처음이었다.

칼비노의 작품과 사상을 깊이 이해하고 있는 콘스탄츠 대학교의 루카 마리게티와 역시 같은 대학에 있으며 내게 많은 도움을 준 앙겔리카 코흐에게 감사의 말을 전하고 싶다.

차례

이탈로 칼비노 연대기

이 작가 연대기는 마리오 바렌기와 브루노 팔체토가 편집한 것으로 〈이 메리디아니*I Meridiani*〉[1] 전집에 포함된 이탈로 칼비노의 『장단편소설집*Romanzi e Racconti*』(1991)에 수록되었다.

> 이력: 나는 아직도 한 작가에 대해서는 작품만이 말할 수 있다고(물론 말을 해야 할 때면 말입니다) 진심으로 믿는 그런 사람들 중의 하나입니다. 그래서 나의 이력을 알려줄 수 없거나 가짜로 알려주고, 어쨌든 내용을 바꾸려고 늘 애씁니다. 그래도 당신이 알고 싶은 게 있으면 질문하십시오. 나는 답을 할 것입니다. 하지만 진실은 결코 말하지 않을 것입니다. 이 점에 대해서는 자신 있게 말씀드릴 수 있습니다.
>
> 1964년 6월 9일 제르마나 페시오 보티노[2]에게 보낸 편지

1 — 몬다도리 출판사에서 이탈리아 문학을 중심으로 펴내는 세계문학 선집.
2 — 1971년 출간된 『칼비노』의 지은이.

> 고정되고 객관화된 내 인생을 다시 만날 때마다 고통스럽습니다. 특히 내가 전한 자료에 따른 것일 때 더욱 그렇습니다. […] 다른 말로 하자면 나는 자서전에 예민해지지 않길 항상 바라고 있습니다.
>
> 1985년 7월 7일 클라우디오 밀라니니[3]에게 보낸 편지

1923년

이탈로 칼비노는 10월 15일 쿠바 아바나의 작은 도시 산티아고 데 라스 베가스에서 태어났다. 아버지 마리오는 산레모의 유서 깊은 집안 출신 농학자로 멕시코에서 20년을 보낸 뒤 농학 연구소와 농업 학교를 맡기 위해 쿠바에 자리잡았다. 어머니 에바(에벨리나) 마멜리는 사르데냐의 사사리 출신으로 대학에서 자연과학을 전공했고 파비아 대학교 식물학과 교수였다.

"어머니는 매우 진지하고 엄격하고 큰일에서든 작은 일에서든 자신의 생각에 흔들림이 없으셨습니다. 아버지 역시 아주 엄격하고 무뚝뚝하셨지만, 목소리가 컸고 성격이 급하셨으며 늘 엄격하신 것만은 아니었습니다. 아버지

3 — 문학평론가로 칼비노의 『장단편소설집』 『모든 우주 만화』 『나무 위의 남작』 등을 편집했다.

는 소설의 인물로 더 적절했지요. 리구리아[4]의 자연에 굳건히 뿌리를 내린 리구리아 노인으로도 괜찮았고 전 세계를 돌아다니며 판초 비야Pancho Villa[5]가 활약하던 시기에 멕시코 혁명을 경험한 남자로도 좋았어요. 아버지 어머니 모두 개성이 강하고 독특했습니다. [⋯] 아들로서 위축되지 않을 유일한 방법은 [⋯] 두 분의 보호에 저항하는 것이었습니다. 이것은 상실과 관련된 것이기도 합니다. 그러니까 부모들이 자식들에게 전할 수 있는 모든 지식은 부분적으로 상실되고 맙니다." (RdM 80)

1925년

칼비노 가족은 이탈리아에 돌아온다. 오래전부터 귀국을 계획했으나 칼비노의 출생으로 연기된 터였다. 칼비노는 태어난 지역에 대해서는 단순하고 약간 모호한 개인 정보 외에는 간직하고 있는 게 전혀 없으므로 항상 리구리아를, 더 정확히는 산레모를 이야기한다.

"나는 어린 시절에 여타 이탈리아 도시들과는 다소 다른 산레모에서 성장했다. 그 시절 산레모에는 아직 영국 노

4 — 지중해에 면한 이탈리아 북서부 지방으로 주도는 제노바이다.

5 — 1878~1923, 멕시코 혁명의 주역. 하층민을 대변하고 농지 개혁을 이끌었다.

인들, 러시아의 대공들, 희한한 사람들과 전 세계에서 모여든 사람들이 살았다. 우리 집안은 산레모에서도, 당시 이탈리아에서도 다소 특이했다. […] 집안사람들은 대개 과학자들, 자연을 사랑하는 사람들, 자유로운 사상가들이었다. […] 마치니주의자, 공화주의자, 반교권주의자, 프리메이슨이 대부분이던 집안에서 태어난 아버지는 젊은 시절 크로포트킨을 지지하는 무정부주의자였고 후에 개혁적 사회주의자가 되었다. […] 어머니는 종교를 믿지 않는 집안에서 시민적 의무와 과학이라는 종교의 품 안에서 성장했다. 1915년에는 사회주의자이기는 했지만 평화주의자로서의 신념은 변함이 없었다." (Par 60)

칼비노 가족은 저택인 빌라 메리디아나에 살았고 산조반니 바티스타에는 조상에게 물려받은 땅이 있었다. 아버지는 '오라치오 라이몬도 화훼 연구소'를 설립해 운영했는데 많은 나라에서, 유럽 이외 나라에서도 젊은 학생들이 찾아왔다. 산레모 가리발디 은행의 도산으로, 연구와 교육 활동을 계속하기 위해 빌라의 정원을 연구소로 이용하게 된다. "우리 집안에서는 과학자들만 존중받았다. 화학자이자 대학 교수였던 외삼촌은 역시 화학자인 외숙모와 결혼했다. 뿐만 아니라 본인이 화학자이며 배우자까지 화학자인 삼촌이 둘이었다. […] 나는 집안에서 유일한 문학가로

미운 오리 새끼였다.” (Accr 60)

1926년

“내 인생의 첫 기억은 스콰드리스타[6]에게 폭행당하던 어떤 사회주의자의 모습이다. […] 아마도 1926년 무솔리니 암살 시도가 있고 난 뒤, 스콰드리스타들이 마지막으로 곤봉을 휘두른 사건과 관련이 있을 것이다. […] 하지만 어린 시절 깊은 인상을 받은 첫 이미지에서, 이후 인생에서 보고 느끼게 된 모든 것의 뿌리를 찾으려는 유혹을 글을 쓸 때 느낀다.” (Par 60)

부모는 파시즘에 비판적이었다. 그렇지만 파시즘 체제에 대한 그들의 비판은 정치 전반에 대한 비난으로 퇴색하고 만다. “파시즘을 부정적으로 평가하는 것과 정치적으로 반파시스트 활동에 참여하는 것 사이에는 지금은 거의 상상도 할 수 없는 거리가 있다.” (Par 60)

1927년

세인트 조지 칼리지 유치원에 다닌다. 동생 플로리아노가 태어난다. 플로리아노는 지질학자로 세계적인 명성을 얻었

6 — 1921년부터 1925년까지 정적을 제거하는 일을 했던 파시스트 행동대.

고 제노바 대학교 교수가 되었다.

1929~33년

발데시 초등학교에 다닌다. 초등학교 고학년 때 발릴라[7]에 가입한다. 공립만이 아니라 사립학교 학생들까지 발릴라에 의무적으로 가입해야만 했다.

"유년 시절에는 극적인 사건을 전혀 경험하지 않았다. 나는 유복하고 평온한 세계에서 살았다. 다채롭고 명암 대비가 뚜렷한 세상을 상상했지만 격렬한 투쟁 의식은 없었다." (Par 60)

1934년

G.D. 카시니 고등학교에 시험을 치르고 입학한다. 칼비노의 부모는 자식들에게 종교 교육을 시키지 않는다. 그래서 학교에 종교 수업과 종교 의식을 면제해 달라고 요청하는데 이는 공립 고등학교에 반순응적인 태도를 단호히 드러낸 것이다. 그렇게 해서 칼비노는 이따금 자신이 다른 아이들과 약간 다르다고 느낀다. "이 때문에 내가 상처를 입었다고는 생각하지 않는다. 사람들은 자신의 습관을 고집하

7 — 8~14세 학생으로 구성된 파시스트 유년 단체.

고, 정당한 이유로 스스로 고립되고, 이로 인한 불편함을 감수하고, 올바른 노선을 찾아 소수의 사람들하고만 공유하는 입장을 유지하는 데 익숙해진다. 하지만 나는 무엇보다 다른 사람의 의견, 특히 종교적인 면에서 타인의 의견을 수용하고 인정하며 성장했다. […] 그와 동시에 사제들 틈에서 성장한 사람들에게서 흔히 찾아볼 수 있는 반교권주의적 성향은 전혀 없었다."(Par 60)

1935~38년

"책을 읽는 진정한 기쁨을 나는 꽤 늦게 경험했다. 열두 살인가 열세 살 때였는데, 러디어드 키플링의 『정글북』 1권과 (특히) 2권을 읽으며 그런 기쁨을 느꼈다. 학교 도서관에서 빌렸는지 선물을 받았는지 기억나지 않는다. 그후로 책에서 찾아야 할 뭔가가 생겼다. 그러니까 키플링의 책에서 경험한 독서의 기쁨을 다시 느낄 수 있는지를 확인하는 것이었다."(미간행 원고)

이 시절 칼비노는 문학작품 외에 유머 잡지(〈베르톨도〉, 〈마르크아우렐리오〉, 〈세테벨로〉)를 즐겨 읽었는데 체계적인 수사학과는 거리가 먼 "체계적인 아이러니 정신"(Rep 84)에 매료된다. 삽화와 만화를 그린다. 영화에 푹 빠진다. "몇 년 동안 거의 매일, 어떨 때는 하루에 두 번 극장에 갔다. 1936

년부터 전쟁이 일어나기 전까지 몇 해 동안. 요컨대 사춘기 시절이었다."(As 74)

그러나 칼비노 세대에게 그런 시절은 너무 일찍, 그것도 매우 극적으로 막을 내린다. "1938년 여름, 나는 젊음, 사회, 여자 친구, 책을 즐기기 시작했다. 체임벌린, 히틀러, 무솔리니가 맺은 뮌헨협정으로 그 여름은 끝이 났다. 리비에라 지역에서 '벨 에포크'belle époque[8]는 끝났다. […] 1세기 전부터 이어져 온, 국제적인 만남의 장소라는 산레모의 역할은 전쟁과 함께 끝났다(영원히 끝났는데 전후에 산레모는 밀라노와 토리노 교외의 작은 도시가 되었다). 그리고 리구리아 지방의 오래된 작은 도시의 특징이 부각되었다. 감지하기 어려운 지평의 변화이기도 했다."(Par 60)

1939~40년

칼비노의 이데올로기적 입장은 여전히 불분명하고 지역적이고 '사투리를 사용하는' 까칠한 정체성과 혼란스러운 무정부주의 사이에 머물러 있다. "제2차 세계대전이 발발하

8 — '좋은 시절'이라는 뜻의 프랑스어. 대략 19세기 후반 이후 제1차 세계대전 발발 이전까지의 시기를 가리킨다. 유럽은 전쟁이 일어나지 않아 평화로웠으며 해외 식민지 수탈을 기반으로 경제와 문화가 번영했다. 여기서는 비유적으로 사용됐다.

기 전까지 내 눈에 비친 세상은 서로 다른 차원의 도덕과 관습으로 지탱되는 것 같았는데 이들은 대립하는 게 아니라 나란히 존재했다. […] 이와 같은 구도에서는 지금 생각하듯이 어떤 범주에 속할지를 두고 선택이 강요되지 않았다."(Par 60)

단편, 시, 희곡을 쓴다. "열여섯 살부터 스무 살까지는 희곡작가가 되는 게 꿈이었다."(Pes 83) 그림과 캐리커처, 만화에 대한 소질과 열정을 키워 나간다. 그중 몇 작품은 조반니 과레스키[9]가 편집장으로 있는 〈베르톨도〉지의 칼럼 '일 체스티노'에 야고라는 필명으로 발표한다.

1941~42년

고등학교를 졸업한 뒤(졸업 시험은 전쟁 때문에 치러지지 않았다) 부친이 열대 농예 과목을 강의하는 토리노 대학교 농학부에 입학한다. 대도시와 대학 사회에 융화되지 못한 채 첫 해에 네 과목의 시험을 통과한다. Guf[10]가 대학을 장악하며 점점 더 불안한 분위기가 조성되지만 그는 거리를 둔다.

영화에 관심을 두었고 영화 평론을 쓴다. 1941년 여름,

9 — 1908~68, 이탈리아 작가. 〈베르톨도〉에 『신부님, 우리들의 신부님』 시리즈를 연재했다.

10 — 대학생 파시스트 단체.

〈조르날레 디 제노바〉지에 두 편이 실린다. 그중 한 편은 토토[11]라는 주인공이 등장하는 〈참수당한 성 요한〉에 관한 것이다.

1942년 5월, 에이나우디 출판사에 원고 「내가 미친 건지 다른 사람들이 미친 건지」를 보내지만 출판되지 못한다. 대부분 1941년에 쓰인 초기 단편들을 모은 원고였다. 피렌체 Guf가 주최한 국가 연극 경연대회에 「사람들의 희극」을 출품한다. 1942년 11월, 심사위원단은 이 작품을 Guf 극단에서 주목할 만한 작품들에 포함한다. 개인적인 관계와 특히 에우제니오 스칼파리(고등학교 동창)와의 우정에 자극을 받아, 미숙하지만 활기차게 문화와 정치에 관심을 갖게 된다. "에우제니오와 편지로, 또 여름에 만나서 토론을 하며 서서히 지하에서 활동하는 반파시즘에 눈을 떴고 독서를 통해 방향을 잡게 되었다. 하위징아 읽어봐, 몬탈레 읽어봐, 비토리니 읽어봐, 피사카네Carlo Pisacane[12] 읽어봐. 당시 접한 새로운 문학들은 우리가 받은 윤리와 문학 교육이 얼마나 체계가 없었는지를 보여주었다."(Par 60)

11 — 1898~1967, 이탈리아의 유명한 희극배우이자 연극 및 영화 제작자, 감독. 본명은 안토니오 데 크루티스.
12 — 1818~1857, 이탈리아 통일운동기의 혁명가, 혁명적 민주주의자, 공상적 사회주의자. 1847년 주세페 마치니가 세운 로마공화국에 참여했다.

1943년

1월에 피렌체 대학교 농림학부로 옮겨 세 과목의 시험을 치른다. 피렌체에 머무는 동안 규칙적으로 가비네토 비외쇠 도서관을 찾는다. 어떤 정치적 선택을 할지가 점점 더 분명해진다. 7월 25일, 피렌체에서 멀지 않은 베르니오시의 메르카탈레 병영에서 피에트로 바돌리오가 내각을 개편할(그리고 무솔리니를 해임하고 체포할) 임무를 맡게 되었다는 소식을 듣는다. 8월 9일, 산레모로 돌아간다. 9월 8일 이후 살로공화국[13] 징집을 피해 몇 달 동안 숨어 지낸다. 칼비노가 직접 밝힌 바에 따르면 외로운 시기였고 집중적으로 책을 읽은 시기이기도 하다. 이러한 독서는 작가로 활동할 때 큰 도움이 된다.

1944년

공산주의자인 젊은 의사 펠리체 카시오네가 전사했다는 것을 알게 되자 친구에게 이탈리아공산당에 자신을 소개해 달라고 부탁한다. 열여섯 살이던 동생과 함께 가리발디 제2공격대에 합류한다. 카시오네라는 이름이 붙은 이 부대는 알피 마리티메[14]에서 활약한다. 20개월 동안 유격대와 나치

13 — 무솔리니가 나치 독일의 보호하에 살로에 세운 이탈리아 사회공화국.

14 — 알프스 산맥의 서쪽.

파시스트 간의 가장 격렬했던 전투가 몇 차례나 벌어진 현장이다. 부모들은 독일군의 인질로 집 안에 억류당했는데 놀랄 만한 강인함을 보인다. "공산주의를 선택한 것은 이데올로기적인 동기에 의해서가 절대 아니었다. '타불라 라사'[15]에서 출발할 필요성을 느꼈다. 그러니까 나는 자신을 무정부주의자라고 정의했다. […] 그러나 무엇보다 당시에 중요했던 것은 행동이었다. 그런데 공산주의자들은 가장 활동적이고 조직적인 힘을 가지고 있었다."(Par 6c) 유격전의 경험은 정치적인 성숙 이전에 인간적으로 성숙하는 데 결정적인 역할을 한다. 사실 무엇보다 유격대원들에게 생기를 불어넣었던 어떤 정신을 본보기로 받아들인다. 다시 말하자면 "위험과 갑작스레 닥친 고난을 극복하는 태도, 전투에서 보인 대담함과 이에 대한 자기 풍자, 거기에 더해 진정으로 합당한 권위를 행사하려는 생각과 이를 행사하려는 상황에 대한 자기 풍자, 이따금 약간 허풍스럽기도 하고 잔인하기는 하지만 항상 너그러움으로 생기가 넘치고 모든 고귀한 대의를 체화하고자 열망하는 분위기가 뒤섞인 정신이다. 오랜 세월이 흘렀으나 나는 놀라운 일을 해낼 수 있게 했던 이런 정신이 어디에도 비할 데 없는 인간

15 — '비어 있는 판'을 의미하는 라틴어. 백지 상태를 의미한다.

적인 태도로 아직도 남아 있어서 대립되는 세상의 현실 속에서 살아갈 수 있다고 말하지 않을 수 없다."(Gad 62) 유격대에 있던 기간은 길지 않았지만 모든 면에서 특히 강렬했던 시기이다. "최근 1년 동안 내 삶은 고난의 연속이었어. […] 말로 표현하기 힘든 위험한 고비를 넘기고 고초를 겪었어. 감옥과 탈출이 뭔지를 알게 되었고 죽음의 문턱에 선 적이 몇 번인지 몰라. 하지만 나는 내가 한 모든 일과 내가 쌓은 풍부한 경험에 만족해. 아니 나는 그 이상을 해내고 싶었어."(1945년 7월 6일 스칼파리에게 보낸 편지)

1945년

3월 17일, 바이아르도 전투에 참가한다. 이 지역 유격대원들이 연합군 전투기의 지원을 받은 첫 전투다. 1974년 「전투의 기억」에서 당시를 회상한다.

이탈리아가 파시즘에서 해방된 이후 칼비노 사상을 형성하는 "의식의 역사"가 시작되는데, 이것은 이탈리아공산당에서 활동한 시기에도 공산주의와 무정부주의를 불안하게, 또 개인적으로 연결하며 계속 진행된다. 공산주의와 무정부주의라는 두 용어는 분명한 이데올로기적 관점을 나타내는 게 아니라 서로를 보완해주는 이상적인 두 개의 필요성을 의미한다. 즉 "삶의 진실은 제도로 인한 부패 그 너머에서 풍요롭게 발전한다." 그리고 "세상의 부는 소모되는 것이 아니라 조직되며, 살아 있는 모든 인간과 미래의 이익을 위해 이용할 수 있게 되어 있다."(Par 60)

임페리아 지역의 이탈리아공산당 당원으로 활동하며 〈라 보체 델라 데모크라치아〉(산레모 국가해방위원회 기관지), 〈라 노스트라 로타〉(이탈리아공산당 산레모 지부 기관지), 〈일 가리발디노〉(펠리체 카시오네 공격대 기관지)를 포함한 여러 잡지에 기고한다. 귀환병들에게 주는 특혜를 이용해서 토리노 대학교 문학부 3학년에 등록하고 토리노로 이주한다. "내가 보기에는 […] 노동운동과 사상운동이 토리노의 분위기를 조성하는 데 크게 기여한 것처럼 보였다(당시에는 진짜 그랬다). 그러한 분위기 속에 보다 나은 전통과 미래에 대한 전망이 담긴 듯했다."(Gad 62)

체사레 파베세와 친구가 된다. 이후 파베세는 칼비노 글의 첫 독자가 된다. "단편소설을 다 쓰면 파베세에게 달려가서 글을 읽게 했습니다. 그가 세상을 뜨고 나자 기준점이 되어준 이상적인 독자가 사라져 이제 글을 잘 쓸 수 없을 것 같았습니다."(Dem 59) 뿐만 아니라 파베세는 진지함과 엄격한 윤리의 모범이기도 해서 칼비노는 그를 자신의 문체, 심지어 행동의 모델로 삼으려 애쓴다. 파베세의 소개로 카를로 무세타가 주재하는 잡지 〈아레투사〉에 「막사의 불안」을 투고하는데 이는 12월호에 발표된다. 12월에는 또 「뼈만 앙상한 빈약한 리구리아」라는 글을 시작으로 엘리오 비토리니의 〈일 폴리테크니코〉에 글을 싣기 시작한다. "글을 쓰기 시작했을 때 나는 독서를 많이 하지 않은 상태였습니다. 말 그대로 독학을 했기 때문에 '공부'를 다시 시작해야만 했지요. 나는 전쟁 중에 지적으로 성숙해졌습니다. 나는 이탈리아 출판사들이 펴낸 책과 〈솔라리아〉지의 글을 읽었습니다."(D'Er 79)

1946년

할부 도서를 판매하면서 '에이나우디 출판사 주위를 맴돌기' 시작한다. 신문과 잡지(〈루니타〉, 〈일 폴리테크니코〉)에 여러 단편을 발표한다. 이 단편들은 후에 『까마귀는 마지막에 온다*Ultimo viene il corvo*』에 수록된다. 5월에는 토리노에서 발행되는 공산당 기관지 〈루니타〉에 칼럼 「시간 속의 사람들」을 쓰기 시작한다. 파베세와 잔시로 페라타의 격려로 소설 쓰기에 몰두해 12월 말에 마친다. 첫 소설 『거미집으로 가는 오솔길』이다.

"그렇지만 지금은 글을 쓴다는 게 무엇보다 외롭고 금욕적인 일이 됐어. 토리노의 추운 다락방에서 허리띠를 졸라매고 아버지가 보내주시는 돈을 기다리며 살고 있어. 내가 생활비에 보탤 수 있는 건 기고를 해서 버는, 일주일에 몇 천 리라가 전부야."(1947년 1월 3일 스칼파리에게 보낸 편지)

12월 말에 단편 「지뢰밭*Campo di mine*」으로 제노바 〈루니타〉에서 수여하는 (공동 수상자인 마르텔로 벤투리와 함께) 상을 받는다.

1947년

"달콤하면서도 불편한 이중 생활"이 "정말 일에 몰두해 있고 내 목표에만 전념하는"(1947년 1월 3일 스칼파리에게 보낸 편지) 생활에서 유일하게 허용한 사치이다. 그중 하나는 대학 졸업이었는데 조지프 콘래드에 관한 논문으로 목표를 이룬다.

『거미집으로 가는 오솔길』로 몬다도리 출판사에서 수여하는 '젊은 작가상'에 도전하지만 고배를 마신다. 이 상은 페라타가 받았다. 그사이 파베세가 그를 에이나우디 출판사에 소개해 10월에 『거미집으로 가는 오솔길』이 〈이 코랄리*I coralli*〉 총서에 포함되어 출간된다. 소설은 큰 성공을 거두어 리치오네상을 수상한다.

이제 칼비노는 에이나우디 출판사의 출판과 광고 담당 부서에서 일하게 된다. 토리노의 출판사에서 다양한 정치 성향과 이데올로기를 가진 여러 사람들과의 지속적인 토론에 힘입어 소설가들(이미 언급했던 파베세, 비토리니, 나탈리아 긴츠부르그)뿐만 아니라 역사가들(델리오 칸티모리, 프란코 벤투리)과 노르베르토 보비오와 펠리체 발보 같은 철학자들과 우정을 나누며 치열하게 지적 논쟁을 이어 간다.

여름에는 프라하에서 열린 '세계청년축전'에 이탈리아 대표로 참석한다.

1948년

4월 말에 에이나우디 출판사를 떠나 〈루니타〉 편집부로 옮겨 1949년 9월 말까지 3면의 편집을 맡는다. 이탈리아공산당이 발행하는 월간지 〈리나시타〉에 단편과 문학 관련 글을 기고하기 시작한다. 나탈리아 긴츠부르그와 함께, 스트레사에서 휴가를 보내는 헤밍웨이를 만나러 간다.

1949년

4월, 파리에서 열린 '평화의 유격대원' 회의에 참석했다는 이유로 여러 해 동안 프랑스 입국이 금지된다. 7월, 토리노의 〈루니타〉 일이 만족스럽지 않아 두 개의 신문사에서 일자리를 제안받은 로마로 가지만 구체적인 결과는 얻지 못한다. 8월에는 부다페스트에서 열린 '세계청년축전'에 참가한다. 〈루니타〉에 일련의 기사를 쓴다. 연극 전문지(〈프리메 알 카리냐노〉)의 칼럼 편집 일을 한다. 9월에 다시 에이나우디로 돌아가서 주로 출판 업무를 담당하며 〈과학 문학 소전집〉의 문학 분야 책임을 맡는다. 줄리오 에이나우디는 다음과 같이 회상한다. "이탈리아 출판계에 하나의 스타일을 창조한 […] 책표지와 구성은 그들의, 그리고 비토리니와 파베세의 작품이었다."

단편집 『까마귀는 마지막에 온다*Ultimo viene il corvo*』를 출간한다. 비토리니가 부정적으로 평가했던 『하얀 범선*Il Bianco Veliero*』은 출간되지 못한다.

1950년

8월 27일, 파베세가 자살한다. 칼비노는 충격에 휩싸인다. "파베세와 만난 몇 년 동안 나는 그가 자살 충동에 시달렸다는 걸 알지 못했지만 그의 오래된 친구들은 이미 알고 있었습니다. 그러니까 나는 파베세에 대해 그들과 전혀 다른 이미지를 가지고 있었던 것이죠. 나는 그가 강건하고 힘이 있으며 일 중독자에 아주 안정된 사람이라고 생각했습니다. 그래서 자살과, 일기에 담긴 사랑하는 사람에 대한 절망적인 절규를 통해 본 그는 전혀 다른 사람이었다는 것을 죽은 후에 알게 되었습니다."(D'Er 79) 10년 뒤 「파베세: 존재와 행동」이라는 회고록에서 파베세가 남긴 균형 있는 윤리적, 문학적 유산에 대해 회고한다. 한편 파베세와 그의 작품 관련 글들과 인터뷰(칼비노의 원고들에 남겨진 자료)를 모은 책은 기획 단계에서 멈추게 된다.

에이나우디 출판사는 전환기를 맞는다. 발보가 출판사를 떠난 뒤로 1950년대 초반 줄리오 볼라티, 파올로 보린기에리, 다니엘레 폰키롤리, 레나토 솔미, 루치아노 포아, 체사레 카세스가 에이나우디 그룹에 들어오며 출판사가 새로워진다. "내 인생의 대부분을 내 책이 아니라 다른 사람들의 책에 바쳤어요. 출판업은 우리가 살아가는 이탈리아에서 아주 중요한 일이기 때문에 나는 만족합니다. 그리고 이탈리아 출판계의 모범이 되었던 에이나우디 출판사에서 일한 것은 적잖이 소중한 경험이었습니다."(D'Er 79)

발보와 "기독교 좌파" 출신들(페델레 다미코, 마리오 모타, 프랑코 로다노, 우발도 스카셀라티) 몇몇이 세운 〈쿨투라 에 레알타〉에 기고한다.

1951년

사회주의 리얼리즘 경향의 소설, 『포강의 젊은이들*I giovanni del Po*』 원고를 힘겹게 마무리한다. 이 소설은 한참 뒤에야, 중단된 탐구의 한 측면을 기록하는 차원에서 한 잡지에 실린다(〈오피치나〉 1957년 1월~1958년 3월). 여름에는 거의 단

숨에 『반쪼가리 자작』을 집필한다.

10~11월에 50여 일 동안 소련을 여행한다(“캅카스에서 레닌그라드까지”). 여행기(『이탈로 칼비노의 소련 여행 수첩』)는 다음 해 2월부터 3월까지 〈루니타〉에 20회에 걸쳐 연재되고 세인트 빈센트상을 수상한다. 이념에 대한 전반적인 가치 평가를 피하고 소련의 현실, 특히 긍정적이고 낙관적인 이미지가 부각되는 일상생활의 세부들을 포착한다. 물론 여러 측면에 대해 말을 아끼기는 하지만 말이다. (“여기 이 사회는 직업적 소명을 퍼 올리는 거대한 펌프 같다. 어떤 식으로든 밖으로 뿜어져 나와야 할 게 있다면 적든 많든 각자 가진 가장 뛰어난 부분일 것이다.”)

칼비노가 소련을 여행하던 중에 아버지가 사망한다(10월 25일). 10년 뒤 자전적 소설 『산 조반니의 길*La strada di San Giovanni*』에서 아버지를 회고한다.

1952년

『반쪼가리 자작』이 비토리니가 기획한 〈이 제토니〉 선집으로 출간되어 큰 성공을 거두는데 좌파 비평가들은 상반된 반응을 보인다.

5월에 칼비노가 편집한 〈에이나우디 소식〉 제1권이 나온다. 같은 해 제7권부터 편집장을 맡는다.

여름에 〈스탐파〉지의 기자인 파올로 모넬리와 헬싱키로 가서 〈루니타〉에 하계 올림픽 취재 기사를 싣는다. "모넬리는 심각한 근시였습니다. 그래서 내가 이쪽을 봐요, 저쪽을 봐요라고 알려주었지요. 다음 날 〈스탐파〉를 펼쳐 보니 내가 알려준 걸 전부 기사로 썼더군요. 반면 나는 그렇게 할 수 없었어요. 그래서 나는 기자 되기를 포기했습니다."(Nasc 84)

〈보테게 오스쿠레〉(바시아노 공작 부인 마거리트 카에타니[16]가 주간으로 있으며 조르조 바사니가 편집하는 국제적인 문학잡지)에 단편 「아르헨티나 개미*La formica argentina*」를 발표한다. 소설, 르포르타주, 우화에 걸친 다양한 장르의 글(책으로 출간되지 않은)을 〈루니타〉에 계속 기고한다. 연말 무렵 『마르코발도』 중 초반부 몇 편이 세상에 나온다.

1953년

『하얀 범선』과 『포강의 젊은이들』 이후 긴 호흡의 장편소설을 써보려는 세 번째 시도로 몇 년 동안 "사실주의적이며 사회적이고 그로테스크한 고골풍의" 『여왕의 목걸이*La collana della regina*』를 쓴다. 토리노와 노동자를 배경으로 한 이

16 — 미국 출신의 저널리스트이자 출판인으로 바시아노 공작 로프레도 카에타니와 결혼했다.

소설 역시 출간되지 않는다. 로마에서 발행되는 잡지 〈누오비 아르고멘티〉에 「망통의 전위부대원들」을 발표한다.

1954년

로마노 빌렌키, 카를로 살리나리, 안토넬로 트롬바도리가 주관하는 주간지 〈일 콘템포라네오〉에 글을 쓰기 시작한다. 거의 3년 동안 기고한다.

「참전*L'entrata in guerra*」이 〈이 제토니〉 선집의 하나로 출간된다.

『이탈리아 민담집*Fiabe italiane*』 프로젝트를 추진하기로 한다. 19세기 이탈리아의 민간에서 전승되어 오던 이야기들 가운데 200여 개를 수집해서 책으로 만들고 서문을 쓰고 각주를 다는 일이다. 준비 작업을 하는 동안 칼비노는, 민담 고전 시리즈 〈밀렌니*Millenni*〉의 아이디어를 낸 민속학자 주세페 코키아라의 도움을 받는다.

제5회 베니스 국제영화제 취재를 기회로 영화 잡지 〈치네마 누오보〉에 기고하게 되는데 몇 년 동안 이어진다. 로마에 자주 간다. 이 무렵을 기점으로 대부분의 시간을 로마에서 보낸다.

1955년

1월 1일, 에이나우디 출판사 임원이 되어 1961년 6월 30일까지 직위를 계속 유지한다. 그후에는 출판고문이 된다.

〈파라고네〉지에 「사자의 골수*Il midollo del leone*」를 발표한다. 당시 주요 문화적 경향에 관련해 문학에 대한 자신의 생각을 밝히는 중요한 첫 에세이다.

해박한 지식을 소유한 저명한 지식인들과 이 주제로 논쟁을 벌이는데 그중에는 체사레 카세스, 레나토 솔미, 프랑코 포르티니가 포함되어 있다. 칼비노는 이들을 헤겔-마르크스주의자라고 부른다.

여배우 엘사 데 조르지와 몇 년 동안 교제한다.

1956년

1월에 이탈리아공산당 서기장이 그를 국제문화위원회 회원으로 임명한다.

바스코 프라톨리니의 소설 『메텔로』에 관해 서면으로 프라톨리니와 논쟁을 벌인다.

제20차 소련공산당대회[17]는 소련식 사회주의로 세상의 변혁이 가능하리라는 희망을 잠시나마 갖게 해준다. "우

17 — 당시 소련공산당 서기장 니키타 흐루쇼프가 스탈린의 죄상을 낱낱이 밝히며 격하 운동을 시작한 역사적인 사건.

리 이탈리아 공산주의자들은 정신병자들이었다. 그렇다. 나는 정말 이게 정확한 표현이라고 생각한다. 우리들 중 일부는 진실의 증언자였고 증언자가 되고 싶었으며, 힘없고 억압받는 사람들이 당하는 부당함을 보복해주는 사람, 온갖 불의에 대항해 정의를 지키는 사람이었으며 그렇게 되고 싶었다. 우리의 다른 일부는 대의의 이름으로 당과 스탈린의 과실, 압제, 폭정을 변호했다. 정신병자들이었다. 정신분열증 환자들이었다. 몇몇 사회주의 국가를 여행했을 때 느꼈던 불편과 낯섦과 적대감을 지금도 기억한다. 나를 이탈리아로 데려다주는 기차가 국경을 다시 넘을 때 나는 스스로에게 물었다. 여기 이탈리아에서, 이 이탈리아에서 내가 공산주의자가 아니면 달리 뭐가 될 수 있단 말인가? 해빙으로, 스탈린주의의 종말로 우리 가슴을 무겁게 짓누르던 돌덩이가 사라지게 된 이유가 바로 이것이다. 우리들의 도덕성, 분열된 인격이 드디어 다시 제 모습을 찾았고 마침내 혁명과 진실이 다시 일치하게 되었던 것이다. 당시 이것은 우리 대다수의 꿈이었고 희망이었다."(Rep 80) 이탈리아공산당의 혁신 가능성이 가시화하자 칼비노는 안토니오 졸리티를 기준점으로 삼는다.

〈콘템포라네오〉 기고를 통해, 3월과 7월 사이에 진행된 "마르크스주의 문화 논쟁"에 참여해서 공산당의 문화

노선에 문제를 제기한다. 곧이어(7월 24일) 중앙문화위원회 회의에서 알카타와 논쟁하며 "현재 당의 문화위원회 지도부 동지들 모두에 대한 불신임 결의안"을 상정한다.(〈루니타〉 1990년 6월 13일자 기사 참조) 공산당 지도부의 정치적 선택에 대한 불편한 마음이 더욱 커진다. 10월 26일 칼비노는 에이나우디 내 당 세포 조직의 자이메 핀토르에게 안건을 제출한다. 〈루니타〉가 포즈난과 부다페스트 사건[18]을 보도할 때 저지른, "현실을 허위로 알리는 용인할 수 없는 행동"을 규탄하고, 제20차 당대회와 동유럽에서 진행 중인 혁명을 본받아 혁신하지 못하는 당의 무능을 신랄하게 비판하는 내용이다. 사흘 뒤 핀토르는 「공산주의자들에 대한 호소」를 승인한다. 이 호소에서는 특히 "지도부의 태도에 동의하지 않아야 하고" "행동에 나선 폴란드와 헝가리 민중, 즉 체제와 인간의 근본적인 개혁을 위해 일어선 대중을 버리지 않은 공산주의자들과의 연대감을 분명히 밝혀야" 하는 게 아닌지 묻는다.

일부 좌익 비평가와 논쟁 중인 피에르 파올로 파솔리니를 위한 글을 〈콘템포라네오〉에 싣는다. 이 글은 〈콘템포라네오〉에 기고한 마지막 글들 중 한 편이다. 1막만으로 된

18 — 1956년 폴란드 포즈난과 헝가리 부다페스트에서 노동자들이 봉기했다.

희곡 「벤치*La panchina*」를 쓴다. 세르조 리베로비치가 여기에 곡을 붙여 10월에 베르가모의 도니제토 극장에서 공연한다. 11월에 『이탈리아 민담집』이 출간된다. 이 작품의 큰 성공으로 '우화 작가' 칼비노의 이미지가 굳어진다(여러 비평가들이 이론적 글을 쓰던 참여 지식인의 모습과 대조되는 이미지를 보여준다고 평가한다).

1957년

『나무 위의 남작』을 출간하고 〈보테게 오스쿠레〉 20호에 「건축 투기*La speculazione edilizia*」를 발표한다.

〈치타 아페르타〉(다양한 의견을 가진 로마 좌익 지식인 그룹이 창간한 잡지)에 단편 우화 「고요한 앤틸리스 제도*La bonaccia delle Antille*」를 발표해서 이탈리아공산당의 보수성을 조롱한다.

졸리티가 이탈리아공산당를 떠난 뒤, 8월 1일에 칼비노는 자신이 속해 있던 토리노 지부에 참담한 심경을 담은 편지와 함께 탈당계를 제출한다. 편지는 8월 7일 〈루니타〉에 게재된다. 정치적인 의견 차이에 대해 설명하고 사회주의 인터내셔널의 민주적인 미래를 신뢰한다고 확언하면서 더불어 당원 활동은 그의 지적, 인간적 성숙에 중요한 기여를 했다고 회고한다.

그러나 이 모든 사건은 향후 그의 태도에 깊은 흔적을 남긴다. "그 일련의 사건들로 인해 나는 정치에 거리를 두게 되었다. 내 마음속에서 정치가 차지하는 공간이 이전보다 훨씬 적어졌다는 의미이다. 그때부터 나는 정치를 모든 것을 쏟아부을 일로 생각하지 않았고 신뢰하지 않았다. 내가 보기에 오늘날 사회가 다양한 경로를 통해 드러내는 여러 가지 일들을 정치는 너무 늦게 받아들인다. 뿐만 아니라 정치는 종종 불법적이고 왜곡된 일들을 자행한다고 생각한다."(Rep 80)

1958년

〈누오바 코렌테〉지에 「작업장의 암탉*La gallina di reparto*」을 발표한다. 출간되지 않은 『여왕의 목걸이』의 일부이다. 방대한 분량의 선집 『단편들*Racconti*』이 출판되는데 이 작품으로 다음 해 바구타상을 수상한다.

주간지 〈이탈리아 도마니〉와 졸리티가 주관하는 잡지 〈과거와 현재〉에 기고하며 얼마 동안 신좌파 사회주의자들의 논쟁에 참여한다.

2년 동안 〈칸타크로나케〉지의 토리노 그룹과 함께 일하며 1958년과 1959년에 리베로비치를 위해 네 개의 노랫말을 쓴다(〈슬픈 노래*Canzone triste*〉, 〈독수리는 어디로 날아가는가*Dove vola l'avvoltoio*〉, 〈다리 너머*Oltre il ponte*〉, 〈세상의 주인*Il padrone del mondo*〉). 그리고 피오렌초 카르피를 위해 노랫말 하나를 쓴다(〈초록의 포강에서*Sul verde fiume Po*〉). 나중에 라우라 베티가 노래한 〈호랑이*La tigre*〉를 작사하고 피에트로 산티가 곡을 쓴 〈밤의 토리노*Turin-la-nuit*〉를 쓴다.

1959년

『존재하지 않는 기사』를 발표한다.

8년간 출간되던 〈에이나우디 소식〉이 이 해 3권을 마지막으로 발행이 중단된다. 〈메나보 디 레테라투라〉(이하 〈메나보〉)의 창간호가 출간된다. "비토리니는 밀라노의 몬다도리 출판사에서 일했고 나는 토리노의 에이나우디에서 일했다. 〈이 제토니〉가 발행되는 기간 내내 토리노 지역의 편집을 내가 맡고 있어서 그와 연락을 취하고 있었다. 비토리니는 〈메나보〉의 공동 편집인으로 내 이름을 올리고 싶어 했다. 사실 〈메나보〉는 비토리니가 구상하고 편집했다. 매호 지면 배치를 결정하고 기고를 청탁한 친구들과 그에 대해 논의했으며 원고의 대부분을 준비했다."(Men 73)

사회주의 일간지 〈아반티!〉의 기고를 의뢰받지만 거절한다.

6월 말 스폴레토에서 열린 '두 세계 축제'에 참가한다. 새로운 형태의 연극을 시도한 〈폴리 달붐〉에서 단편 「잠시 머무는 침대*Un letto di passaggio*」를 축약한 짧은 극을 선보인다.

9월에는 무언극 〈자 어서*Allez-hop*〉에 루치아노 베리오가 곡을 붙여 베네치아의 라 페니체 극장에 올린다. 소설과 에세이를 쓰고 저널리스트로 활동하고 출판사 일을 하며 경력을 쌓아 가면서도 칼비노는 계속 연극과 음악, 공연 전반에 관심을 기울였다. 사실 오래전부터 관심을 쏟았지만 결과는 신통치 않았다. 9월에 포드재단의 지원금으로 미국 여행을 떠나 주요 도시들을 돌아본다. 6개월간의 여행인데 그중 4개월을 뉴욕에 머무른다. 뉴욕에 깊은 인상을 받는데 그가 접한 다양한 분위기 때문이기도 하다. 몇 년 뒤 다른 어떤 도시보다 뉴욕이 자신에게 꼭 맞는 도시라고 느꼈다고 말한다. 그런데 이미 주간지 〈ABC〉에 기고한 첫 글에 이렇게 썼다. "나는 뉴욕을 사랑한다. 내 사랑은 맹목적이고 조용하다. 내가 좋아하는 이유에 반대하는 사람들에게 어떻게 반박해야 할지 모르겠다. [⋯] 어쨌거나, 스탕달이 왜 그렇게 밀라노를 사랑했는지 아무도 이해하지 못했다. 묘비의 내 이름 밑에 '뉴요커'라고 쓰게 할 생각이다."(1960년 6월 11일)

1960년

중요한 서문이 실린 〈우리의 선조들*Nostri antenati*〉 3부작이 출간된다. 〈메나보〉 2호에 에세이 「객관성의 바다」를 발표한다.

1961년

점점 더 명성을 얻게 된다. 여러 제안을 받게 되면서 호기심으로 기꺼이 받아들이려는 마음과 집중의 필요성 사이에서 갈등하는 듯이 보인다. "얼마 전부터 일간지, 주간지, 영화, 연극, 라디오, 텔레비전 등 다방면에서 함께 작업을 하자는 요청이 많아졌는데 보수와 예상되는 반향이라는 측면 모두에서 매력적이지만 전부 일정이 촉박합니다. 그래서 저는 덧없는 것들에 에너지를 낭비하는 게 아닐까 하는 두려움에 휩싸이는 한편 다방면에 능하고 다작을 하며 좋은 예를 보여주는 다른 작가들을 보며 갈등하고 있습니다. 때때로 그들을 흉내 내고 싶은 욕망을 느끼지만 결국은 그들과 비슷해지지 않기 위해 조용히 지내는 기쁨을 나 자신에게 선물하고 맙니다. 뿐만 아니라 그들을 보며 집중해서 '책'에 대해 생각하고 싶은 열망을 느끼는 동시에 '매일' 무엇이라도 쓰기 시작해야 써야 할 글을 쓰게 될지도 모른다는 초조함에 사로잡히기도 하죠. 결국 나는 신문에 실을 글도, 다른 방면에 필요한 글도, 나 자신을 위한 글도 쓰지 못하고 있습니다."(9월 3일 에밀리오 체키에게 보낸 편지) 거절한 제안 중에는 일간지 〈코리에레 델라 세라〉의 기고도 있다. 미국 여행의 기록과 인상을 담은 「미국에서의 낙관주의자」를 쓰지만 원고가 완성되었을 때 출간하지 않기로 결정한다.

3월에 15일간 스칸디나비아를 여행하고 코펜하겐, 오슬로, 스톡홀름(이탈리아문화원)에서 강연한다.

4월 말~5월 초, 국제 포멘토상 수상을 위해 마요르카 섬으로 간다.

9월, 에이나우디 출판사와 〈칸타크로나케〉의 동료·친구 들과 함께 알도 카피타니가 추진한 제1회 평화 행진에 참가해서 페루자부터 아시시까지 행진한다.

10월에는 바이에른주의 뮌헨을 방문하고 도서전시회를 참관하기 위해 프랑크푸르트로 간다.

1962년

3월, 파리에서 '키키타'라는 애칭으로 불리는 에스더 주디스 싱어를 알게 된다. 키키타는 아르헨티나 출신의 통역사로 유네스코와 국제원자력기구 같은 국제기구에서 일했다(프리랜서로 1984년까지 통역 일을 계속한다). 이 시기에 칼비노는 '방랑벽'이 붙었다고 말할 정도로 로마(세를 얻어 임시 숙소를 이용한다), 토리노, 파리, 산레모를 쉬지 않고 오간다.

"리구리아 사람들은 두 부류로 나눌 수 있습니다. 하나는 바위에 달라붙어 절대 움직일 수 없는 삿갓조개처럼 자신이 태어난 곳에서 꼼짝하지 않는 사람들입니다. 또 하나는 세계가 집이어서 어디든 자기 집으로 생각하는 사람들입니다. 그런데 이 둘째 사람들은, 나도 거기 속하는데 [···] 규칙적으로 집에 돌아가서 첫째 부류 못지않게 고향에서 꼼짝도 하지 않습니다."(Bo 60)

밀라노의 일간지 〈일 조르노〉에 기고를 시작하고 몇 년 동안 부정기적으로 계속 기고한다.

〈메나보〉 제5호에 에세이 「미궁에의 도전」, 〈퀘스토 에 알트로〉지 창간호에 단편 「산 조반니의 길」을 발표한다.

1963년

이탈리아에서 이른바 네오아방가르드 운동이 구체화된 해이다. 칼비노는 그들의 주장에 동조하지는 않지만 흥미롭게 전개 과정을 지켜본다. 「미궁에의 도전」이 발표된 뒤에 안젤로 굴리엘미와 벌인 논쟁은 63그룹[19]의 입장에 대한 칼비노의 관심과 거리두기를 보여주는 의미 있는 자료이다.

『마르코발도 혹은 도시의 사계절』이 〈리브리 페르 라

가치〉 시리즈에 포함되어 출간된다. 세르조 토파노의 삽화 스물세 개가 책에 실린다(칼비노는 이 점이 항상 자랑스럽다고 말한다).

「어느 선거 참관인의 하루*La giornata d'uno scrutatore*」를 발표하고 『건축 투기*La speculazione edilizia*』가 단행본으로 출간된다.

3월 중순에 리비아를 여행한다. 트리폴리 이탈리아문화원에서 '어제와 오늘의 소설에 나타난 자연과 역사'라는 주제로 강연한다.

5월, 포멘토상 심사위원 자격으로 일주일간 그리스의 코르푸섬에 머문다. 5월 18일 스위스 로잔에서 「어느 선거 참관인의 하루」로 국제 샤를베이용상을 수상한다.

파리에 오래 체류한다.

1964년

2월 19일 쿠바 아바나에서 키키타와 결혼한다.

"나는 그동안 활력 있는 여자들을 만났습니다. 나는 곁에 여자가 없이 살 수가 없을 겁니다. 나는 그저 머리가 두 개에다 성기가 둘인 존재의 한 부분입니다."(RdM 80)

쿠바 여행을 기회로 태어난 곳과 부모가 살던 곳을 방

19 — 1960년대 이탈리아의 전위적인 문학운동. 문학 언어의 급진적인 갱신을 도모하고 대중매체가 조장하는 소비주의에 도전했다.

문한다. 여러 사람들을 만났는데 그중에는 개인적으로 만난 에르네스토 '체' 게바라도 있다.

『거미집으로 가는 오솔길』 개정판을 내기 위해 중요한 서문을 쓴다.

여름이 지난 뒤 아내와 함께 로마에 정착해서 몬테 브리안초가의 아파트에 거주한다. 키키타가 이전 결혼에서 낳은 열여섯 살의 아들 마르첼로 웨일도 가족의 일원이 된다. 에이나우디 출판사의 회의에 참석하고 우편물을 처리하기 위해 2주에 한 번씩 토리노를 방문한다.

〈메나보〉 제7호에 에세이 「노동의 안티테제」를 발표하지만 별다른 반향을 일으키지 못한다. 에세이집 『그 위에 돌 하나*Una pietra sopra*』에 이 에세이를 수록한다. 칼비노는 이 책이 "그동안의 내 논의(〈메나보〉에 실린 이전 에세이에서 펼친 논의)를 확장해 나가면서, 노동자 계급의 역사적 역할과, 본질적으로는 그 시기 좌익의 제 문제에 대한 다양한 평가들을 인지하고 있음을 밝히려는 시도 [⋯] 어쩌면 다양한 요소들을 단일하고 조화로운 하나의 구도 속에 자리매김하려는 마지막 시도일 수도 있다"고 설명한다.

〈카페〉지에 『우주 만화』 중 처음 네 편인 「달과의 거리」 「동이 틀 무렵」 「공간 속의 기호 하나」 「모든 것이 한 지점에」가 발표된다.

1965년

두 편의 사설(〈리나시타〉 1월 30일, 〈일 조르노〉 2월 3일)로 파솔리니가 시작한 '기술적인' 새로운 이탈리아어에 대한 논쟁에 참여한다.

4월, 로마에서 딸 조반나가 태어난다. "마흔 살이 되어 처음 아버지가 되면서 넘치는 충만감을 느끼고 있습니다. 그리고 무엇보다 예상치 못한 큰 기쁨을 누리고 있습니다."(12월 24일 한스 마그누스 엔첸스베르거에게 보낸 편지)

『우주 만화』를 출간한다. 토니오 카빌라라는 가명으로 〈중학생을 위한 독서〉 시리즈에 『나무 위의 남작』을 요약하고 주를 달아 편집한 동명의 책을 출간한다. 「스모그」와 「아르헨티나 개미」 두 편을 모은 한 권의 단행본이 나온다(『단편들』에 수록되었던 작품들이다).

1966년

2월 2일 비토리니가 세상을 뜬다. "비토리니와 죽음 – 바로 어제까지는 병 – 의 이미지를 연결해서 생각하기가 어려웠다. 현대문학에서 주로 나타나는 실존적이고 본질적인 차원의 부정적인 이미지를 비토리니에게서는 찾아볼 수 없다. 엘리오는 언제나 새로운 삶의 이미지를 찾았다. 그리고 다른 사람들 속에 있는 이 이미지를 이끌어내는 법을 알았다."(Conf 66) 1년 뒤 〈메나보〉에 폭넓은 내용을 담은 에세이 「비토리니: 계획과 문학」에서 이 시칠리아 출신 작가를 회고한다.

비토리니의 사망 후 현실의 문제에 관한 칼비노의 태도에 변화가 생긴다. 뒤에 밝히듯 속도를 조절하며 현실과 거리를 두게 된다. "이전에는 책벌레적인 기질을 한 번도 살려볼 수 없었는데 […] 이제 그것이 제일 중요한 일이 되었고 아주 만족스럽다고 말하고 싶습니다. 현실에서 일어나는 일에 대한 관심이 줄어든 게 아니라 직접 그 한복판에 뛰어들고 싶은 열정을 더 이상 느끼지 않습니다. 물론 이제 나이가 들었다는 것도 큰 이유 중 하나입니다. 스탕달의 인생관과 철학은 제 젊은 시절 실천 철학이었는데 어느 순간 사라져버렸습니다. 어쩌면 신진대사가 예전처럼 활발하지 않기 때문일지도 모릅니다. 나이가 들면 다 그렇듯이 말입니다. 저는 한참 동안 젊은이로 살았습니다. 어쩌면 너무 오래 그랬을 겁니다. 그러다 갑자기 이제 노년의 삶을 시작해야만 한다는 생각이 들었습니다. 그렇습니다. 정말 노년입니다. 아마도 먼저 노년의 삶을 시작하면서 이 시기를 길게 연장할 수 있기를 바라는지도 모르겠습니다."(Cam 73)

그러나 거리두기를 한다고 해서 비사교적으로 외부와 단절한 것은 아니었다. 5월에 연극 연출가 장-루이 바로에게 연극 대본을 써 달라는 제안을 받는다. 6월 초에 라 스페치아에서 열린 63그룹 회의에 참석한다. 9월에는 『작가들이 베트남 편에 서다』를 출간한 영국 출판사에 지지문을 보낸다.(“어느 누구도 자신에게 만족하거나 자신의 양심에 따라 평화롭게 지낼 수 없는 세상에서, 어떤 국가나 단체가 보편적인 이념은 물론이고 자신들의 고유한 진리를 구현해야 한다고 주장조차 하지 못하는 세상에서 빛을 줄 수 있는 것은 베트남인들뿐이다.”)

1967년

6월 말경에 가족과 함께 파리의 스콰르 드 샤티용에 있는 주택으로 이사한다. 5년간 머물 계획이었으나 1980년까지 여기 살면서 이탈리아를 자주 방문한다. 여름철 몇 달을 이탈리아에서 보내기도 한다.

레몽 크노의 『푸른 꽃』 번역을 마친다. 이 시기 칼비노의 글쓰기에서 드러나는 여러 측면은 다방면에서 활동하는 프랑스 작가 크노와 연관이 있다. 기상천외하고 역설적인 희극성(항상 유희와 동일시되는 것은 아니다)에 대한 취향, 과학과 언어 조합 기술에 대한 관심, 실험주의와 고전성이 공존하는 문학에 대한 장인적 사고 같은 면들이다.

‘인간두뇌학과 유령들’이라는 세미나 이후 에세이 「조

합의 과정으로서의 소설에 대한 메모」를 〈누오바 코렌테〉에 발표한다. 같은 잡지에 「유사분열」을, 〈렌디콘티〉지에는 「피, 바다」를 발표하는데 두 단편 모두 『티 제로*Ti con zero*』에 수록된다.

연말에 자니켈리 출판사의 조반니 엔리케스와 함께 중학생용 선집을 기획하고 편집하는 일을 시작한다. G.B. 살리나리와 네 명의 교사와 협업한 이 선집은 1969년 『독서』라는 제목으로 출간된다.

1968년
기호학에 관심을 보인다. 소르본 대학교의 고등연구원에서 바르트가 두 차례에 걸쳐 발자크의 『사라진느』를 다룬 세미나에 참석하고 알기르다스 줄리앙 그레마스가 강연한 우르비노 대학교의 기호학 주간 행사에 참석한다.

파리에서 크노와 가깝게 지낸다. 크노는 **울리포**Oulipo(Ouvroir de littérature potentielle[20] 대부분 알프레드 자리의 파타피지크[21] 개념에 공감해서 결성된 콜레주 드 파타피지크의 구성원들로 이루어짐)의 회원들을 소개한다. 그중에는

20 — 프랑스어로 잠재 문학 작업실이란 뜻.
21 — 상상적 해법에 기초한 과학. 우스꽝스러운 부조리로 가득 찬 사이비과학이나 철학. 형이상학과 과학의 경계에 걸쳐 있으며 그 경계를 넘나든다.

조르주 페렉, 프랑수아 르 리오네, 자크 루보드, 폴 프루넬 등이 있다. 이들을 제외하고, 파리에서 특별히 사회적 문화적으로 많은 사람들과 접촉하지는 않는다. “아마 나는 장소와 개인적인 관계를 맺는 재능이 없는지도 모른다. 나는 늘 조금은 공중에 떠 있고 도시에는 한 발로만 서 있다. 내 책상은 약간 섬 같다. 다른 지방에서도 여기에 있을 때와 같을 수 있다. […] 글을 쓰는 작가이므로 내 작업의 일부를 홀로 진행할 수 있다. 장소가 어디든, 들판이나 어떤 섬의 외딴집이든 상관이 없다. 파리 한가운데에 있는 내 집은 들판의 외딴집이다. 그래서 내 일과 관련된 인간관계는 이탈리아에서만 이루어지는 반면 혼자 있을 수 있을 때, 아니 혼자 있어야 할 때만 이곳에 오게 된다.”(EP 74)

1960년대 초반과 마찬가지로 학생운동을 관심 있게 지켜보지만 그들의 태도나 사상을 공유하지는 않는다.

“그즈음 몇 년 동안 여러 사상을 결합하는 데 기여”(Cam 73)한 것은 유토피아라는 주제에 대한 천착이다. 그렇게 해서 푸리에를 재해석하려는 계획을 깊이 생각하고 1971년 푸리에의 독창적인 글을 모은 선집을 출판하기에 이른다. “내가 특히 자랑스러워하는 글들이다. 푸리에에 관한 나의 진정한 에세이는 바로 그것이다.”(Four 71)

『티 제로』로 수상하게 된 비아레조상을 거부한다(“문

학상의 시대가 완전히 끝났다고 생각하기 때문에 상을 거부합니다. 의미가 사라진 문학상 제도에 동의함으로써 그것을 계속 지지하고 싶지 않기 때문입니다. 언론의 떠들썩한 관심을 받고 싶지 않으니 부디 수상자 명단에서 내 이름을 거론하지 마십시오. 제 우정 어린 진심을 믿어주십시오.") 하지만 2년 뒤 아스티상을 수상하며 1972년에는 아카데미아 나치오날레 데이 린체이에서 수여하는 펠트리넬리상을, 니스시에서 수여하는 상과 몬델로상을 비롯한 여러 상을 수상한다.

1년 동안 『독서』 선집에 포함될 세 권의 책에 집중한다. 자니켈리 출판사에서 델피노 이솔레라와 잔니 소프리가 칼비노의 작품을 담당한다.

밀라노의 클럽 '델리 에디토리'에서 『세상에 대한 기억과 다른 우주 만화*La memoria del mondo e altre storie cosmicomiche*』를 출간한다.

1968년부터 1972년 사이에 몇몇 친구(귀도 네리, 카를로 긴츠부르그, 엔초 멜란드리, 특히 잔니 첼라티)와 함께 잡지(〈알리 바바〉) 창간 가능성을 구두와 서면으로 논의한다. 특히 칼비노는 "일상생활에 필요한 것 가운데 독서가 차지하는 위치를 아직 생각하지 않는 새로운 독자"에게 다가갈 필요성을 강하게 느낀다. 이 때문에 새로운 잡지를 기획하지만 실현되지 못한다. "대량으로 가판대에서 판매하는 잡지로 일종의 〈리누스〉[22]이지만 만화가 아니라 삽화가 아주 많고 참신한 페이지 배치로 독자의 눈길을 끄는 소설을 연재하는 것입니다. 또 서사 전략, 다양한 유형의 인물들, 독서 방법, 문체의 원리, 시적-인류학적 기능을 예시하는 여러 칼럼들도 싣는 거죠. 하지만 이 모든 게 재미있는 읽을거리를 통해 이루어져야 합니다. 간단히 말하자면 대량 판매라는 도구로 일종의 탐색을 시도하는 것입니다."(Cam 73)

1969년

프란코 마리아 리치의 책 『타로 카드, 베르가모와 뉴욕 자작子爵의 타로 카드 한 벌』에 「교차된 운명의 성」을 싣는다. 『까마귀는 마지막에 온다』 2쇄를 준비한다. 〈카페〉지에 「지도자들의 참수*La decapitazione dei capi*」를 발표한다.

봄에 『독서』가 출간된다. 「관찰하고 묘사하다*Osservare e descrivere*」라는 장에서 칼비노의 생각이 완전히 드러나는데 여기서 그는 "해결해야 할 문제"를 인지적 경험으로 묘사하는 아이디어를 제시한다. "묘사란 묘사 대상과 비슷해지려는 시도로서 그를 통해 우리는 언제나 우리가 말하고자 하는 바에 조금씩 더 다가간다. 그와 동시에 우리는 언제나

22 — 1965년에 창간되어 매달 발간된 이탈리아 최초의 만화 잡지.

조금씩 더 불만을 느끼게 된다. 이 때문에 우리는 계속 관찰하고 이렇게 관찰한 내용을 보다 잘 표현할 방법을 찾아야 한다."(Let 69)

1970년

6월에 『힘겨운 사랑』이 에이나우디의 새로운 시리즈 〈스트루치〉에 포함되어 출간된다. 〈이탈로 칼비노 단편들〉 시리즈의 첫 책이자 유일한 책이다. 이 작품은 작자 미상의, 칼비노의 경력과 저술 목록을 제시하는 글로 시작된다.

라디오 방송에서 들려주었던 내용들을 수정해서, 아리오스토의 작품의 일부를 담은 『이탈로 칼비노가 들려주는 루도비코 아리오스토의 광란의 오를란도*Orlando furioso di Ludovico Ariosto raccontato da Italo Calvino*』를 출간한다.

1970년대에 여러 차례 동화를 다시 쓰는데 특히 유명한 동화집(란차, 바실레, 그림, 페로, 피트레)의 개정판 서문을 쓴다.

1971년

에이나우디에서 〈첸토파지네〉 시리즈의 책임편집을 맡아 몇 년간 이 일을 계속한다. 출간된 작품 중에는 그가 좋아하는 고전 작가들(스티븐슨, 콘래드, 제임스, 스탕달, 호프만,

발자크, 톨스토이)만이 아니라 19~20세기에 활동한, 널리 알려지지 않은 다양한 작가들의 작품도 포함되어 있다.

다양한 작가의 글을 엮은 『아델피아나』에 「그늘에서 *Dall'opaco*」를 발표한다.

1972년

3월에 미국 작가 존 바스가 자신이 뉴욕 주립대학교 인문학부에서 맡고 있는 '소설 쓰기' 강좌(1972~73학년도)를 대신 맡아 달라고 초청한다. 4월 말에 칼비노는 아쉽지만 초청을 거절한다.

6월 아카데미아 나치오날레 데이 린체이에서 주는 1972년 안토니오 펠트리넬리 소설상을 받는다. 시상식은 12월에 진행된다.

『보이지 않는 도시들』을 출간한다.

11월에 처음으로 울리포의 '점심 식사' 모임에 참석한다. 다음 해 2월에 '외국인 회원'이 된다.

같은 11월에 〈플레이보이〉 이탈리아판 첫 호에 「이름, 코 *Il nome, il naso*」를 발표한다.

1973년

『교차된 운명의 성』 완결판이 출간된다. 극단주의에 관한 의견을 묻는 〈누오비 아르고멘티〉지의 질문에 이렇게 답한다. "상황의 심각성에 대해서는 극단적으로 인식하는 게 옳다고 생각한다. 그리고 바로 이 심각성은 분석 정신, 현실감각, 모든 행동 – 말 – 생각의 결과에 대한 책임감, 간단히 말해, 정의상으로는 극단적이라고 할 수 없는 성질을 요구한다고 생각한다."(NA 73)

카스틸리오네 델라 페스카이아 근처, 로카마레 소나무숲에 건축하던 집이 완성되어 칼비노는 이후 매년 여름을 이곳에서 보낸다. 카를로 프루테로와 치타티 같은 친구들을 지속적으로 만난다.

1974년

1월 8일 『보이지 않는 도시들』이 제23회 포찰레상 최종 후보에 오른다. 엠폴리시의 레나토 푸치니 도서관에서 열린 전후 이탈리아 소설에 관한 토론에 참여한다.

〈코리에레 델라 세라〉지에 단편소설, 여행기, 이탈리아의 정치적 사회적 현실과 관련된 중요한 글들을 쓰기 시작한다. 1979년까지 기고를 계속한다. 4월 25일자에 실린 「전투의 기억」은 초기에 투고한 글 중의 하나이다. 같은 해에 또 다른 자전적 성격의 글 「한 관객의 자서전」이 페데리코 펠리니 감독의 책 『네 편의 영화』 서문으로 실린다.

라디오 프로그램 '불가능한 인터뷰' 방송을 위해 「몬테수마」와 「네안데르탈인과의 대화」를 쓴다.

1975년

5월 하순경에 이란을 여행한다. '페르시아의 도시'라는 프로그램을 기획하며 향후 실현 가능성을 타진하려던 이탈리아 국영 방송 Rai가 현지 조사를 의뢰해 이루어진 여행이다.

8월 1일 〈코리에레 델라 세라〉에 「기린의 달리기*La corsa delle giraffe*」를 시작으로 〈팔로마르 단편〉 시리즈를 연재한다.

에이나우디의 〈조반니 비블리오테카〉 시리즈에 포함되어 『세상에 대한 기억과 다른 우주 만화』가 재출간된다.

1976년

2월 말과 3월 중순까지 미국에 머문다. 먼저 애머스트 칼리지의 초청으로 매사추세츠에 들른 뒤 존스홉킨스 대학교의 글쓰기 세미나(『우주 만화』와 『타로 카드』에 관한 세 번의 세미나와 강연을 하며 『보이지 않는 도시들』 낭독회를 연다)에 참석하기 위해 볼티모어에 일주일 체류한다. 뉴욕에 일주일 머문다. 마지막 일정으로 아내 키키타와 함께 멕시코에서 열흘을 보낸다.

멕시코 여행과 11월에 이루어진 일본 여행에서 받은 인상을 담은 글을 〈코리에레 델라 세라〉에 연재한다.

1977년

2월 8일 오스트리아 교육문화부에서 수여하는 유럽 문학 국가상을 수상한다. 〈파라고네〉에 「공인된 쓰레기통*La poubelle agréée*」을 발표한다.

「개인적인 펜(사울 스타인버그의 삽화를 위한 글)」을 발표한다. 에세이와 단편의 중간 성격의 글이며, 화가와 조각가들에게 영감을 얻은 (파우스토 멜로티, 줄리오 파올리니, 루치오 델 페초, 체사레 페베렐리, 발레리오 아다미, 알베르토 마녤리, 루이지 세라피니, 도메니코 놀리, 조르조 데 키리코, 엔리코 바이, 아라카와 등의 작품들을 자유롭게 비교하는) 짧은 글 시리즈에 포함된다.

12월에 〈아프로도 레테라리오〉에 「일본에서의 팔로마르*Il signor Palomar in Giappone*」라는 제목으로 일본 여행에서 영감을 얻은 단편들 전작을 발표한다.

1978년

1월 31일 귀도 네리에게 보낸 편지에서 「공인된 쓰레기통」은 "픽션보다는 논픽션 성격이 더 강한 일련의 자전적 텍스트, 대부분은 내 계획에만 존재하고 일부는 편집 중이지만 아직 만족스럽지 못한 텍스트, 그리고 어느 날엔가 어쩌면 『가야만 하는 길*Passaggi obbligati*』이라고 불릴 책이 될지도 모를 텍스트"에 속한다고 쓴다.

4월에 어머니가 아흔두 살을 일기로 세상을 뜬다. 얼마 후 빌라 메리디아나를 매각한다.

1979년

소설 『어느 겨울밤 한 여행자가』가 출간된다. 「나도 스탈린주의자였던가」(12월 16~17일)라는 글을 시작으로 일간지 〈라 레푸블리카〉에 활발하게 기고한다. 단편들과 서평, 전시회와 다른 문화 행사들에 대한 평론을 번갈아 가며 쓴다. 하지만 〈코리에레 델라 세라〉의 기고와 비교해보면 사회적 정치적 주제에 대한 글은 거의 사라졌음을 알 수 있다(「부패한 자들의 나라에서 정직함이란」(1980년 3월 15일)은 몇몇 예외적인 글에 해당한다).

1980년

1955년 이후 발표한 에세이 중 가장 중요한 글들을 모아 『그 위에 돌 하나』라는 제목으로 출간한다.

9월에 가족과 함께 로마 판테온 근처 캄포 마르초 광장의 테라스가 딸린 집으로 이사한다.

톰마소 란돌피의 작품 가운데 여러 단편들과 다양한 글들을 선정해서 책으로 편집해 달라는 리촐리 출판사의 제의를 받아들인다.

1981년

레지옹 도뇌르 훈장을 받는다.

크노의 방대한 글들을 모은 『기호, 숫자, 문자』의 편집을 맡는다. 〈일 카발로 디 트로이아〉지에 「바그다드의 문들 *Le porte di Bagdad*」을 발표하는데 토티 쉬알로야의 초고들을 토대로 완성한 희곡이다. 아담 폴락(여름마다 그로세토의 바티냐노에서 16세기와 17세기 오페라 공연을 준비해 온)의 요청에 따라, 모차르트의 미완성 오페라 〈차이데〉를 위해 다양한 요소들을 조합한 액자 구조의 대본을 쓴다. 제29회 베네스 국제영화제 심사위원이 된다. 마르가레테 폰 트로타 감독의 〈독일 자매〉와 난니 모레티 감독의 〈좋은 꿈꿔〉가 황금사자상을 수상한다.

1982년

연초에 세르조 솔미의 번역으로 크노의 시집 『가지고 다니는 짤막한 우주발생론』이 에이나우디에서 출간된다. 시집은 칼비노가 1978~81년 번역했던 『짤막한 우주발생론에 관한 짤막한 안내서』를 이은 것으로, 칼비노는 솔미와 여러 차례 서신을 주고받으며 텍스트를 해석하고 번역할 때 부딪히는 어려운 문제를 토론하고 해결해 나간다.

3월 초에 밀라노 스칼라 극장에서 베리오와 칼비노가 쓴 2막으로 구성된 오페라 〈진실한 이야기〉가 상연된다. 같은 해에 음악극 〈듀엣〉을 공연하는데, 이후 나오게 될 「귀 기울이는 왕」의 토대가 되는 첫 작품으로 모두 베리오와의 공동 작업이다.

6월에 〈FMR〉지에 단편 「맛을 알다*Sapore sapere*」를 발표한다.

리촐리 출판사에서 『이탈로 칼비노가 선정한 톰마소 란돌피의 걸작*Le piu belle pagine di Tommaso Landolfi scelte da Italo Calvino*』이 출간된다. 맨 뒤에 「정확성과 우연」이라는 제목의 칼비노 해설이 포함되어 있다.

12월에 에이나우디에서 칼비노의 서문 「하늘, 인간, 코끼리」가 담긴 플리니우스의 『박물지』가 출간된다.

1983년

사회과학고등연구원에서 한 달간 '교수'로 일한다. 1월 25일 그레마스 세미나에서 '갈릴레오의 과학과 메타포'라는 강연을 한다. 뉴욕 대학교 컨퍼런스(제임스 강의)에서

「글로 쓰인 세계와 쓰이지 않은 세계*Mondo scritto e mondo non scritto*」를 영어로 발표한다.

심각한 재정난에 빠진 에이나우디 출판사에서 12월에 『팔로마르』가 출간된다.

1984년

4월에 부에노스아이레스 국제도서전 측의 초청을 받아 아내 키키타와 함께 아르헨티나로 여행을 간다. 몇 달 전 대통령으로 선출된 라울 알폰신과도 만난다.

8월에 〈귀 기울이는 왕〉이 초연되었으나 참석하지 않는다. 클라우디오 바레세에게 보낸 편지에 이렇게 쓴다. "잘츠부르그에서 상연된 베리오의 오페라는 제목만 내가 썼을 뿐 내가 한 일은 아무것도 없다고 생각합니다."

9월에는 보르헤스와 함께 세비야에서 개최되는 환상 문학 컨퍼런스에 초대받는다.

에이나우디 출판사의 계속되는 재정난 때문에 밀라노의 가르찬티 출판사의 제안을 수락하기로 결정한다. 가을에 가르찬티 출판사에서 『모래 선집*Collezione di sabbia*』과 『오래된 우주 만화와 새로운 우주 만화*Cosmicomiche vecchie e nuove*』를 출간한다.

1985년
에이나우디 출판사에서 출간하는 카프카의 『아메리카』 서문을 쓰는 일에 몰두한다.

로카마레에서 여러 가지 일에 집중하며 여름을 보낸다. 크노의 『폴리스티렌의 노래』를 번역한다. 책은 칼비노 사후에 사이빌러 출판사에서 나온다. 판매용이 아니라 몬테디슨사가 비용을 대서 증정본으로 출간된다. 〈아우토그라포〉 10월호에 실리게 될 마리아 코르티와의 인터뷰 최종 원고를 준비한다. 특히 하버드 대학교(노턴 강의)에서 1985~86학년도에 하기로 한 강의(다음 천년기를 위한 여섯 가지 메모) 원고를 준비한다.

9월 6일 갑자기 쓰러져 시에나 산타 마리아 델라 스칼라 병원에 입원하고 수술을 받는다. 뇌출혈로 18일과 19일 사이에 숨을 거둔다.

작가 연대기에 사용된 약호가 가리키는 작품은 아래와 같다.

Accr 60 『이탈리아 작가들의 초상』, 엘리오 필리포 아크로카 편집, 소달리치오 델 리브로, 1960.

As 74 페데리코 펠리니에게 바치는 서문, 「관객의 자서전」, 『네 개의 영화』, 에이나우디, 1974. 후에 『산 조반니의 길』, 몬다도리, 1990에 수록됨.

Bo 60 "반쪼가리 공산주의자", 카를로 보와의 인터뷰, 〈레우로페오〉, 1960년 8월 28일.

Cam 73 페르디난도 카몬, 『작가라는 직업: G. 바사니, I. 칼비노, C. 카솔라, A. 모라비아, O. 오티에리, P.P. 파솔리니, V. 프라텔리니, R. 로베르시, P. 볼포니와의 비평적 대화』, 가르찬티, 1973.

Conf 66 〈일 콘프론토〉 2호, 1966년 7~9월.

D'Er 79 "이탈로 칼비노", 마르코 데라모의 인터뷰, 〈몬도페라이오〉, 1979년 6월 6일, pp. 133~38.

Dem 59 "파베세는 나의 이상적인 독자였습니다", 로베르토 데 몬티첼리와의 인터뷰, 〈일 조르노〉, 1959년 8월 18일.

EP 74 『파리의 은둔자』, 에디치오니 판타레이, 1974.

Four 71 "칼비노, 푸리에에 대해 말하다", 〈리브리-파에

세 세라〉, 1971년 5월 28일.

Gad 62 『고난의 시기를 보낸 세대: 질문에 대한 답변』, 에토레 A. 알베르토니, 엔초 안토니니, 레나토 팔미에리 편집, 라테르차, 1962.

Let 69 「사물의 묘사」, 중학생용 선집 『독서』, 이탈로 칼비노와 잠바티스타 살리나리 편집, 마리아 단지올리니, 멜리나 인솔레라, 미에타 페나티, 이사비올란테 협업, 제1권, 자니켈리, 1969.

Men 73 『메나보 서문』(1959~1967), 도나텔라 피아카리니 마르키, 에디치오니 델 아테네오, 1973.

Nasc 84 "나는 칼비노로 존재하는 게 약간 피곤합니다", 줄리오 나쉼베니와의 인터뷰, 〈코리에레 델라 세라〉, 1984년 12월 5일.

NA 73 "극단주의에 대한 네 가지 답변", 〈누오비 아르고멘티〉, 31호, 1973년 1~2월.

Par 60 밀라노에서 정기 간행되는 젊은 세대의 문화잡지 〈일 파라도소〉의 질문에 대한 답변, 23~24, 1960년 9~11월, pp. 11~18.

Pes 83 〈현대인들의 취향: 노트 3. 이탈로 칼비노〉, 포폴라레 페사레세 은행, 1987.

RdM 80 "어느 가을밤 한 작가가", 루도비카 리파 디 메아

나와의 인터뷰, 〈레우로페오〉, 1980년 11월 17일, pp. 84~91.

Rep 80 "그날 전차가 우리의 희망을 짓밟았다", 〈라 레퓨블리카〉, 1980년 12월 13일.

Rep 84 "기이한 시인의 매력적인 풍자", 〈라 레퓨블리카〉, 1984년 3월 6일.

작가 연대기 참고문헌

칼비노 관련 저서

G. Pescio Bottino, *Italo Calvino*, La Nuova Italia, Firenze 1967(nuova ed. 1972).

G. Bonura, *Invito alla lettura di Italo Calvino*, Mursia, Milano 1972(nuova ed. 1985).

C. Calligaris, *Italo Calvino*, Mursia, Milano 1973(nuova ed. A cura di G.P. Bernasconi, 1985).

F. Bernardini Napoletano, *I segni nuovi di Italo Calvino. Da «Le Cosmicomiche» a «Le citta invisibili»*, Bulzoni, Roma 1977.

C. Benussi, *Introduzione a Calvino*, Laterza, Roma-Bari 1989.

G.C. Ferretti, *Le capre di Bikini. Calvino giornalista e saggista 1945-1985*, Editori Riuniti, Roma 1989.

C. Milanini, *L'utopia discontinua. Saggio su Italo Calvino*, Garzanti, Milano 1990.

K. Hume, *Calvino's Fictions: Cogito and Cosmos*, Clarendon Press, Oxford 1992.

R. Bertoni, *Int'abrigu int'ubagu. Discorso su alcuni aspetti dell'opera di Italo Calvino*, Tirrenia Stampatori, Torino 1993.

G. Bertone, I*talo Calvino. Il castello della scrittura*, Einaudi, Torino 1994.

R. Deidier, *Le forme del tempo. Saggio su Italo Calvino*, Guerini

e Associati, Milano 1995.
G. Bonsaver, *Il mondo scritto. Forme e ideologia nella narrativa di Italo Calvino*, Tirrenia Stampatori, Torino 1995.
Ph. Daros, *Italo Calvino*, Hachette, Paris 1995.
M. Belpoliti, *L'occhio di Calvino*, Einaudi, Torino 1996.
C. De Caprio, *La sfida di Aracne. Studi su Italo Calvino*, Dante & Descartes, Napoli 1996.
E. Zinato(a cura di), *Conoscere i romanzi di Calvino*, Rusconi, Milano 1997.
M.L. McLaughlin, *Italo Calvino*, Edinburgh University Press, Edinburgh 1998.
P. Castellucci, *Un modo di stare al mondo. Italo Calvino e l'America*, Adriatica, Bari 1999.
S. Perrella, *Calvino*, Laterza, Roma-Bari 1999.
D. Scarpa, *Italo Calvino*, Bruno Mondadori, Milano 1999.
J.-P. Manganaro, *Italo Calvino, romancier et conteur*, Seuil, Paris 2000.
A. Asor Rosa, *Stile Calvino. Cinque studi*, Einaudi, Torino 2001.
M. Belpoliti, *Settanta*, Einaudi, Torino 2001.
M. Lavagetto, *Dovuto a Calvino*, Bollati Boringhieri, Torino 2001.
N. Turi, *L'identita negata. Il secondo Calvino e l'utopia del tempo fermo*, Societa Editrice Fiorentina, Firenze 2003.
F. Serra, *Calvino*, Salerno editrice, Roma 2006.
L. Baranelli, *Bibliografia di Italo Calvino*, Edizioni della Normale, Pisa 2007.
M. Barenghi, *Italo Calvino, le linee e i margini*, il Mulino, Bologna 2007(raccolta di saggi).
M. Bucciantini, *Italo Calvino e la scienza. Gli alfabeti del mon-*

do, Donzelli, Roma 2007.
A. Nigro, *Dalla parte dell'effimero ovvero Calvino e il paratesto*, Serra, Pisa-Roma 2007.
M. Barenghi, *Calvino*, il Mulino, Bologna 2009 (profilo complessivo).

기사와 에세이

G. Almansi, *Il mondo binario di Italo Calvino*, in «Paragone», Agosto 1971; poi ripreso in parte, con il titolo Il fattore Gnac, in La ragione comica, Feltrinelli, Milano 1986.
G. Falaschi, *Italo Calvino*, in «Belfagor», XXVII, 5, 30 settembre 1972.
G. Vidal, *Fabulous Calvino*, in «The New York Review of Books», vol. 21, n. 9, 30 May 1974, pp. 13-21; trad. it. *I romanzi di Calvino*, in G. Vidal, *Le parole e i fatti*, Bompiani, Milano 1978, pp. 107-27; poi in «Riga», 9, 1995, *Italo Calvino. Enciclopedia: arte, scienza e letteratura*, a cura di M. Belpoliti, pp. 136-53; poi in G. Vidal, *Il canarino e la miniera. Saggi letterari(1956-2000)*, Fazi, Roma 2003, pp. 252-69.
M. Barenghi, *Italo Calvino e i sentieri che s'interrompono*, in «Quaderni piacentini»(n.s.), 15, 1984, pp. 127-50; poi, con il titolo *Reti, percorsi, labirinti. Calvino 1984*, in *Italo Calvino, le linee e i margini*, pp. 35-60.
C. Cases, *Non era un dilettante*, in «L'Indice dei libri del mese», II, 8, settembre-ottobre 1985, p. 24; poi, con il titolo *Ricordo di Calvino*, in *Patrie lettere*, nuova ed. Einaudi, Torino 1987,

pp. 172-75.

G. Vidal, *On Italo Calvino*, in «The New York Review of Books», vol. 32, n. 18, 21 November 1985, pp. 3-10; trad. it. *La morte di Calvino*, in *Il canarino e la miniera*, pp. 270-80.

G. Pampaloni, *Italo Calvino*, in *Storia della letteratura italiana* diretta da E. Cecchi e N. Sapegno, nuova ed. diretta da N. Sapegno, Il Novecento, II, Garzanti, Milano 1987, pp. 554-59.

P.V. Mengaldo, *Aspetti della lingua di Calvino*, in G. Folena (a cura di), *Tre narratori. Calvino, Primo Levi, Parise*, Liviana, Padova 1989, pp. 9-55; poi in *La tradizione del Novecento. Terza serie*, Einaudi, Torino 1991, pp. 227-91.

A. Berardinelli, *Calvino moralista. Ovvero restare sani dopo la fine del mondo*, in «Diario», VII, 9, febbraio 1991, pp. 37-58; poi in *Casi critici. Dal postmoderno alla mutazione*, Quodlibet, Macerata 2007, pp. 91-109.

G. Ferroni, *Italo Calvino, in Storia della letteratura italiana*, vol. IV(Il Novecento), Einaudi, Torino 1991, pp. 565-89.

J. Starobinski, Prefazione, in I. Calvino, *Romanzi e racconti*, ed. Diretta da C. Milanini, a cura di M. Barenghi e B. Falcetto, I Meridiani Mondadori, I, Milano 1991.

C. Milanini, *Introduzione*, in I. Calvino, *Romanzi e racconti*, I e II, 1991 e 1992.

M. Barenghi, *Introduzione*, in I. Calvino, *Saggi. 1945-1985*, I Meridiani Mondadori, Milano 1995; poi rielaborata, con il titolo *Una storia, un diario, un trattato(o quasi)*, in *Italo Calvino, le line e i margini*, pp. 125-57.

M. Marazzi, *L'America critica e fantapolitica di Italo Calvino*, in «Acoma», II, 5, estate-autunno 1995, pp. 23-31.

R. Ceserani, *Il caso Calvino*, in *Raccontare il postmoderno*, Bollati Boringhieri, Torino 1997, pp. 166-80.

G. Nava, *La teoria della letteratura in Italo Calvino*, in «Allegoria», IX, 25, gennaio-aprile 1997, pp. 169-85.

P.V. Mengaldo, *Italo Calvino*, in *Profili di critici del Novecento*, Bollati Boringhieri, Torino 1998, pp. 82-86.

G. Zaccaria, *Italo Calvino*, in *Storia della letteratura italiana* diretta da E. Malato, IX: *Il Novecento*, Salerno editrice, Roma 2000, pp. 883-923.

학술대회 논문집과 기타

G. Bertone(a cura di), *Italo Calvino: la letteratura, la scienza, la citta*. Atti del convegno nazionale di studi di Sanremo(28-29 novembre 1986), Marietti, Genova 1988. Contributi di G. Bertone, N. Sapegno, E. Gioanola, V. Coletti, G. Conte, P. Ferrua, M. Quaini, F. Biamonti, G. Dossena, G. Celli, A. Oliverio, R. Pierantoni, G. Dematteis, G. Poletto, L. Berio, G. Einaudi, E. Sanguineti, E. Scalfari, D. Cossu, G. Napolitano, M. Biga Bestagno, S. Dian, L. Lodi, S. Perrella, L. Surdich.

G. Falaschi(a cura di), *Italo Calvino*. Atti del convegno internazionale(Firenze, 26-28 febbraio 1987), Garzanti, Milano 1988. Contributi di L. Baldacci, G. Barberi Squarotti, C. Bernardini, G.R. Cardona, L. Caretti, C. Cases, Ph. Daros, D. Del Giudice, A.M. Di Nola, A. Faeti, G. Falaschi, G.C. Ferretti, F. Fortini, M. Fusco, J.-M. Gardair, E. Ghidetti, L. Malerba, P.V. Mengaldo, G. Nava, G. Pampaloni, L. Waage Petersen, R. Pierantoni, S. Romagnoli, A. Asor Rosa, J. Risset, G.C. Roscioni, A. Rossi, G. Sciloni, V. Spinazzola, C. Varese.

D. Frigessi(a cura di), *Inchiesta sulle fate. Italo Calvino e la fiaba* (convegno di San Giovanni Valdarno, 1986), Lubrina, Bergamo 1988. Contributi di A.M. Cirese, M. Barenghi, B. Falcetto, C. Pagetti, L. Clerici, H. Rolleke, G. Cusatelli, P. Clemente, F. Mugnaini, P. Boero, E. Casali, J. Despinette.

L. Pellizzari(a cura di), *L'avventura di uno spettatore. Italo Calvino e il cinema*(convegno di San Giovanni Valdarno, 1987), Lubrina, Bergamo 1990. Contributi di G. Fofi, A. Costa, L. Pellizzari, M. Canosa, G. Fink, G. Bogani, L. Clerici.

L. Clerici e B. Falcetto(a cura di), *Calvino & l'editoria*(convegno di San Giovanni Valdarno, 1990), Marcos y Marcos, Milano 1993. Contributi di V. Spinazzola, L. Clerici e B. Falcetto, G. Bollati, C. Segre, P. Giovannetti, I. Bezzera Violante, S. Taddei, G. Patrizi, A. Cadioli, M. Corti, E. Ferrero, G. Davico Bonino, G. Ragone, M. Dogliotti e F. Enriques, G. Tortorelli, G. Ferretti, L. Baranelli.

L. Clerici e B. Falcetto(a cura di), *Calvino & il comico* (convegno di San Giovanni Valdarno, 1988), Marcos y Marcos, Milano 1994. Contributi di A. Faeti, U. Schulz Buschhaus, C. Milanini, B. Falcetto, G. Bottiroli, A. Civita, G. Ferroni, L. Clerici, V. Spinazzola, B. Pischedda, G. Canova.

G. Bertone(a cura di), *Italo Calvino, A Writer for the Next Millennium*. Atti del convegno internazionale di studi di Sanremo(28 novembre - 1° dicembre 1996), Edizioni dell'Orso, Alessandria 1998. Contributi di G. Bertone, F. Biamonti, G. Ferroni, E. Sanguineti, E. Ferrero, C. Milanini, G.C. Ferretti, G. Einaudi, E. Franco, A. Canobbio, M. Ciccuto, B. Ferraro, G.L. Beccaria, G. Falaschi, M. Belpoliti, P.L. Crovetto, M.L. McLaughlin, V. Coletti, M. Quaini, L. Mondada, C. Raffestin, V. Guarrasi, G. Dematteis, M. Corti, L. Surdich, C. Benussi, P. Zublena.

C. De Caprio e U.M. Olivieri(a cura di), *Il fantastico e il visibile. L'itinerario di Italo Calvino dal neorealismo alle «Lezioni americane»*(Napoli, 9 maggio 1997), con una *Bibliografia della critica calviniana 1947-2000* di D. Scarpa, Libreria Dante & Descartes, Napoli 2000. Contributi di G. Ferroni, C. Ossola, C. De Caprio, M.A. Martinelli, P. Montefoschi, M. Palumbo, F.M. Risolo, C. Bologna, G. Patrizi, M. Boselli, J. Jouet, L. Montella, U.M. Olivieri, D. Scarpa, C. Vallini, M. Belpoliti, S. Perrella, A. Bruciamonti, E.M. Ferrara, L. Palma.

A. Botta e D. Scarpa(a cura di), *Italo Calvino newyorkese*. Atti del colloquio internazionale *Future perfect: Italo Calvino and the reinvention of the Literature*, New York University, New York City 12-13 aprile 1999, Avagliano, Cava de' Tirreni 2002. Contributi di M. Barenghi, M. McLaughlin, M. Benabou, L. Re, A. Botta, M. Riva, A. Ricciardi, F. La Porta, D. Scarpa, con un'intervista di P. Fournel a Italo Calvino(1985).

P. Grossi(a cura di), *Italo Calvino narratore*. Atti della giornata di studi(19 novembre 2004), Istituto Italiano di Cultura, Parigi 2005. Contributi di V. d'Orlando, C. Milanini, D. Scarpa, D. Ferraris, P. Grossi.

정기간행물의 특별호

«Nuova Corrente», n. 99, gennaio-giugno 1987: *Italo Calvino/1*, a cura di M. Boselli. Contributi di B. Falcetto, C. Milanini, K. Hume, M. Carlino, L. Gabellone, F. Muzzioli, M. Barenghi, M. Boselli, E. Testa.

«Nuova Corrente», n. 100, luglio-dicembre 1987: *Italo Calvino/2*, a cura di M. Boselli. Contributi di G. Celati, A. Prete, S. Verdino, E. Gioanola, V. Coletti, G. Patrizi, G. Guglielmi, G. Gramigna, G. Terrone, R. West, G.L. Lucente, G. Almansi.

«Riga», 9, 1995, *Italo Calvino. Enciclopedia: arte, scienza e letteratura*, a cura di M. Belpoliti. Testi di I. Calvino, E. Sanguineti, E. Montale, P.P. Pasolini, J. Updike, G. Vidal, M. Tournier, G. Perec, P. Citati, S. Rushdie, C. Fuentes, D. Del Giudice, Fruttero & Lucentini, L. Malerba, N. Ginzburg, H. Mathews, F. Biamonti, A. Tabucchi, G. Manganelli, G. Celati, P. Antonello, M. Belpoliti, R. Deidier, B. Falcetto, M. Porro, F. Ricci, M. Rizzante, D. Scarpa, F. De Leonardis, G. Paolini.

«europe», 815, Mars 1997, *Italo Calvino*. Contributi di J.-B. Para e R. Bozzetto, N. Ginzburg, S. Rushdie, G. Celati, M.-A. Rubat du Merac, M. Fusco, J. Jouet, A. Asor Rosa, J. Updike, P. Citati, M. Lavagetto, D. Del Giudice, G. Manganelli, M. Belpoliti, J.-P. Manganaro, P. Braffort, M. Barenghi, C. Milanini.

『이탈로 칼비노의 문학 강의』에 대한 서평, 연구, 인터뷰

A. Arbasino, *Calvino Memorandum*, in «la Repubblica», 1° marzo 1988, pp. 24-25.

E. Scalfari, *E una sera Calvino sulle ali di Mercurio...*, in «la Repubblica», 2 giugno 1988, pp. 1 e 23-24.

O. Cecchi, *La leggerezza di Calvino*, in «l'Unita», 4 giugno 1988.

P. Citati, *Calvino, cosi perspicace, cosi cieco*, in «Corriere della Sera», 4 giugno 1988, p. 3.

I. Bignardi, *L'ultima volta che vidi Calvino* (intervista a Pietro Citati), in «la Repubblica», 7 giugno 1988.

G. Manganelli, *Profondo in superficie*, in «Il Messaggero», 10 giugno 1988; poi, con il titolo Calvino, in Antologia privata, Rizzoli, Milano 1989, pp. 163-66.

G. Bonura, *E Calvino sali in cattedra*, in «Il Secolo XIX», 15 giugno 1988.

G. Pampaloni, *La fiamma e il cristallo*, in «Il Giornale», 17 giugno 1988; poi in *Il critico giornaliero. Scritti militanti di letteratura 1948-1993*, a cura di G. Leonelli, Bollati Boringhieri, Torino 2001, pp. 441-45.

____________, *Nelle lezioni americane di Italo Calvino il credo della letteratura*, in «Millelibri», agosto 1988.

A. Moravia, *Carissimo Italo eterno adolescente*(Diario europeo), in «Corriere della Sera», 19 giugno 1988, p. 3; poi in *Diario europeo. Pensieri, persone, fatti, libri 1984-1990*, Bompiani, Milano 1993, pp. 199-202.

G. Mariotti, *I talismani del mago*, in «Europeo», 24 giugno 1988.

L. Mondo, *Calvino pie leggero*, in «La Stampa», 26 giugno 1988.

C. Marabini, *Profezie per l'uso della fantasia*, in «Il Resto del Carlino», 28 giugno 1988.

C. De Michelis, *Six memos...*, in «Il Gazzettino», 2 luglio 1988.

D. Starnone, *L'enciclopedia aperta (Calvino, il fascino vago della precisione)*, in «il manifesto», 14 luglio 1988.

A. Asor Rosa, *Se un albero parlasse a primavera, (Ancora sulle «Lezioni americane» di Italo Calvino)*, in «la Repubblica», 2 agosto 1988.

P. Di Stefano (a cura di), *Universo Calvino*, intervista a Esther Calvino, in «Corriere del Ticino», 17 settembre 1988.

C. Garboli, *Plutone nella rete*, in «L'Indice dei libri del mese», 10, dicembre 1988; poi, con il titolo *Lezioni americane*, in *Pianura proibita*, Adelphi, Milano 2002, pp. 46-54.

R. Barilli, *Calvino americano*, in «alfabeta», dicembre 1988.

R. Ceserani, *La disputa sull'Autore(Colpi bassi e scontri veri sulle «Lezioni americane» di Calvino)*, in «il manifesto», 11 gennaio 1989.

R. Puletti, *Calvino e le «Lezioni americane»*, Lucarini, Roma 1991.

A. Asor Rosa, *«Lezioni americane» di Italo Calvino, in Letteratura italiana. Le Opere*, IV: *Il Novecento*, II. *La ricerca letteraria*, Einaudi, Torino 1996, pp. 953-96; poi in *Genus italicum. Saggi sulla identita letteraria italiana nel corso del tempo*, Einaudi, Torino 1997, pp. 753-95.

C. Ossola, *Molteplicita e Coerenza. Il lascito di Calvino al XXI secolo*, Giappichelli, Torino 2010.

이탈로 칼비노의
문학 강의

새로운 문학의 길을 찾는 이들에게

『이탈로 칼비노의 문학 강의』는 『이탈로 칼비노, 에세이 1945~85 *Italo Calvino, Saggi 1945~1985*』(마리오 바렌기 편집, 〈이 메리디아니〉 전집 제1권, 몬다도리, 1995)를 재수록한 것이다.

우리는 1985년에 살고 있다. 바로 15년 후면 새로운 천년기가 열린다. 지금으로서는 2000년대가 다가온다는 사실이 내게 특별한 감정을 불러일으키지는 않는다. 어쨌든 나는 미래학이 아니라 문학을 이야기하기 위해 이곳에 와 있다. 이제 문을 닫기 시작하는 지금의 천년기는 서양의 근대 언어들뿐만 아니라, 이 언어의 표현적·인지적·상상적 가능성들을 탐색한 문학이 탄생하고 확장한 기간이었다. 또한 책의 천년이었다고도 할 수 있는데, 책이라는 매체가 우리에게 친밀한 형식을 취한 시기이기 때문이다. 이른바 후기 산업사회에서 문학과 책이 처할 운명에 끊임없이 의문이 제기되고 있다는 것은, 어쩌면 우리가 살고 있는 천년기가 막 끝나 가고 있다는 신호가 될 수도 있으리라. 나는 위험스럽게 그런 종류의 예측을 하고 싶지는 않다. 내가 문학의 미래를 확신하는 것은 문학만이 고유한 방법으로 무언가를 줄 수 있다는 사실을 알기 때문이다. 그러므로 나는 특히 중요하게 생각하는 문학의 몇 가지 가치와 특질, 특수성이 들어설 자리를 새로운 천년의 관점에서 찾으려 애쓰며 그것들에 내 강의를 바치고 싶다.

1강

가벼움

Leggerezza

첫 강의에서 나는 가벼움과 무거움을 서로 대조해보고 가벼움의 덕목을 옹호하려고 한다. 내가 무거움의 덕목이 가치가 덜하다고 본다는 게 아니라 그저 가벼움에 대해 할 말이 더 많다고 생각한다는 뜻이다.

픽션을 쓴 지 40여 년의 세월이 지나고 나니, 여러 길들을 탐색하고 다양한 실험을 해보고 나니, 그동안 실행한 내 작업에 대한 총체적인 정의를 해야 할 시간이 찾아왔다. 나는 이렇게 말하고 싶다. 내 작업의 대부분은 무거움을 제거하는 것이었다고. 나는 때로는 인간의 모습에서, 때로는 천체에서, 때로는 도시에서 무게를 제거하려 했다. 그리고 무엇보다도 이야기의 구조와 언어에서 무게를 제거하고 싶었다.

이 강의에서는 내가 무엇 때문에 가벼움을 결함이 아니라 가치 있는 것으로 생각하게 되었는지를 나 자신에게 그리고 여러분에게 설명하고자 한다. 가벼움에 대한 나의 이상을 찾을 수 있는 과거 작품들 속에 어떤 본보기들이 있는지, 내가 그런 가치를 현재에 어떻게 자리매김하고 또 어떻게 미래로 투영하는지를 설명해보려고 한다.

최근 시점에서부터 이야기를 시작해보자. 내가 작품 활동을 시작했을 무렵 우리 시대를 표현해야 할 의무가 모든 젊은 작가들의 정언명령이었다. 선의로 가득하던 나는 우리 세기의 역사를 움직이는 냉혹한 힘과 전체적이면서도 개별적인 역사적 사건들과 나를 동일시하려고 애썼다. 때로는 극적이며, 때로는 그로테스크한 세계의 파란만장한 광경과 글을 쓰도록 나를 밀어붙이는 피카레스크적이고도 모험적인 내면의 리듬을 조화시켜보려고 노력했다. 나는 곧 내 글쓰기의 기본 제재가 될 수밖에 없을 삶의 사건들과 나의 글쓰기에 생명을 불어넣길 바랐던 재빠르고 예리한 민첩성 사이에 뛰어넘기 힘든 틈이 벌어져 있다는 사실을 깨닫게 되었다. 아마도 당시 나는 무거움, 무기력함, 세상에 대한 불명료함만을 발견해 가고 있었던 것 같다. 피할 방법을 찾지 못할 경우 곧바로 글쓰기에 달라붙는 성질의 것들이다.

어떤 순간에는 세상이 모두 돌로 변해 가는 것처럼 보였다. 그렇게 되는 속도는 사람에 따라, 장소에 따라 다소 차이가 나긴 했지만 삶의 어떤 측면도 예외가 될 수는 없었다. 마치 누구도 메두사의 냉혹한 시선에서 도망칠 수 없는 것과 같았다.

메두사의 머리를 벨 수 있는 영웅은 날개 달린 샌들을 신고 날아다닐 수 있는 페르세우스 한 사람뿐이다. 페르세우스는 고르곤[1]의 얼굴을 직접 보지 않고 청동 방패에 비친 모습에만 시선을 돌린다. 역사적 사건이나 내 개인사를 돌이켜 생각할 때마다 언제나 내 몸이 돌로 변하는 기분인데 그런 순간마다, 지금도 마찬가지인데, 페르세우스가 나를 구하러 온다. 나의 강의가 신화의 이미지들과 어우러지게 하는 것도 괜찮으리라. 페르세우스는 돌로 변하지 않고 메두사의 머리를 베기 위해 구름이나 바람처럼 아주 가벼운 것에 몸을 싣는다. 그리고 간접적인 모습으로, 거울에 비친 이미지로만 자신을 드러낼 수 있는 것에 눈길을 돌린다. 나는 곧 이 신화 속에서 세상과 시인의 관계에 대한 알레고리와 글을 쓰며 추구해야 할 방법상의 교훈을 찾고 싶은 유혹을 느낀다. 하지만 해석이란 무엇이든 신화를 빈약하게 만들고 질식시켜버린다는 것을 나는 잘 알고 있다. 신화를 가지고 성급하게 굴 필요는 없다. 신화를 기억에 맡겨 두고, 세부 사항들마다 멈춰 서서 곰곰이 생각하고, 신화를 만드는 이미지의 언어에서 벗어나지 않으면서 신화에 대해 숙고하는 편이 더 나으리라. 신화에서 끌어낼 수 있는 교훈은 우리가 외부에서 덧붙이는 것에 있는 게 아니라, 신화가 글자 그대로 해석될 수 있는 서사라는 데 있다.

페르세우스와 고르곤의 관계는 복잡해서 페르세우스가 메두사의 머리를 베는 것으로 끝나지 않는다. 메두사의

1 — 고르곤 세 자매 중 하나가 메두사이다.

피에서 날개 달린 말 페가수스가 탄생한다. 그래서 돌의 무거움은 정반대로 변형될 수 있다. 페가수스가 헬리콘산 꼭대기를 말발굽으로 한 번 차자 샘물이 솟아 나오고 뮤즈들이 샘물을 마신다. 이 신화의 몇몇 변형본에서는 페르세우스가, 메두사의 저주받은 피에서 태어나 뮤즈들의 사랑을 받는 놀라운 말 페가수스에 올라탄다(게다가 날개 달린 샌들 역시 괴물 세계의 것이다. 페르세우스는 그것을 메두사의 자매들, 그러니까 하나뿐인 눈을 셋이 돌려쓰는 그라이아이 자매들에게서 빼앗았다). 페르세우스는 잘린 메두사의 머리를 버리지 않고 자루에 숨겨 가지고 다닌다. 적들에게 몰려 위태로운 순간마다 뱀이 우글거리는 메두사의 머리를 꺼내 보여 주기만 하면 된다. 그래서 피묻은 메두사의 머리는 영웅의 손에서 무적의 무기가 된다. 그는 이 무기를 극도로 위험한 경우에만, 그리고 돌이 되는 형벌을 받아 마땅한 사람들에게만 사용한다. 여기에서 신화는 이미지들에 내포되어 있고 달리 설명할 길이 없는 무엇인가를 내게 말하려는 것 같다. 페르세우스는 처음에 방패에 비친 메두사의 얼굴을 보고 그녀를 이겼듯이 이번에는 그 무시무시한 얼굴을 자루 속에 가지고 다니면서 완전히 제어하게 된다. 페르세우스의 힘은 그가 살아야 했던 괴물 세계라는 현실, 항상 함께해야 하고 짐처럼 짊어져야 할 현실을 거부하는 게 아니라 언제나 직접 보기를 거부하는 데에서 나온다.

오비디우스의 『변신 이야기』에서 우리는 페르세우스와 메두사의 관계에 관해 무엇인가를 좀 더 알게 된다. 페르세우스는 새로운 전투에서 승리했고 검을 휘둘러 바다 괴물을 죽인 뒤 안드로메다를 구출했다. 그리고 이제 험한 일을 하고 난 후 우리들 중 누구라도 당연히 하게 될 일을 하려 한다. 페르세우스는 손을 씻으러 간다. 이때 문제는 메두사의 머리를 어디에 내려놓느냐는 것이다. 이 장면에서 오비디우스는 몇 편의 시를 썼는데(Ⅵ, 740~752), 괴물을 물리친 승리자 페르세우스라는 인물이 되기 위해서는 얼마나 섬세한 영혼이 필요한가를 설명하는 특별한 시구 같아 보인다.

"거친 모래가 뱀의 머리에 닿지 않도록"anguiferumque caput dura ne laedat harena 그는 나뭇잎을 깔아 땅을 푹신하게 만들고 그 위에 해초 줄기들을 올려놓은 다음, 얼굴이 아래로 향하도록 메두사의 머리를 내려놓았다. 내 생각으로는 기괴하고 무시무시하지만 어찌 보면 상처 입기 쉽고 허약한 존재에게 베푸는 페르세우스의 신선한 호의가 담긴 이런 행동보다 가벼움을 더 잘 표현해주는 것은 없는 듯하다. 바로 그 가벼움으로 인해 페르세우스는 영웅이 된다. 하지만 정말 예상치도 못했던 일은 그다음에 일어난 기적이다. 메두사의 머리에 닿은 해초 줄기들이 산호로 변하고, 요정들이 산호로 장식을 하기 위해 달려와 소름 끼치는 머리에 붙어 있는 해초를 향해 다가가는 것이다.

우아하고 부드러운 산호가 무시무시한 공포를 안겨주는 고르곤 주위에서 피어나는 이러한 이미지들의 만남 역시 암시로 가득해서, 주석을 붙인다거나 해석을 한답시고 그것을 손상시키는 행위는 하고 싶지 않다. 내가 할 수 있는 일은 오비디우스의 시와 현대 시인인 에우제니오 몬탈레Eugenio Montale[2]의 〈작은 성서〉를 비교하는 것이다. 우리는 이 시에서도 몬탈레 시의 상징이 된 섬세한 요소들("달팽이가 남긴 진주 빛 자취/ 혹은 금강사金剛砂같이 짓이겨진 유리 조각")을 찾아볼 수 있기는 하지만 그것들은 무시무시한 지옥의 괴물, 지옥의 역청이 묻은 날개를 달고 서양의 여러 도시에 내려앉는 루시퍼와 대조를 이룬다. 1953년에 쓰인 이 시에서만큼 몬탈레가 종말론적 시각을 드러낸 적은 단 한 번도 없었다. 하지만 그의 시를 최고 수준에 올려놓는 것은 그가 파국적인 어둠과 대비시킨, 빛을 반사하는 작은 흔적들이다("그 재를 분갑 속에 간직하라. / 등불이 모두 꺼져 /

2 — 1896~1981, 제노바 태생의 이탈리아 시인. 고독과 절망을 소재로 한 작품을 주로 썼다. 1975년 노벨문학상 수상. 작품으로는 『오징어 뼈들*ossi di seppia*』, 『기회들*Le occasioni*』이 있다.

사르다나 춤[3]이 끔찍해졌을 때…”). 그런데 아주 쉽게 사라져버리는 것에서 어떻게 우리를 구하기를 바랄 수 있을까? 몬탈레의 이 시는 사라져버릴 운명에 처한 듯 보이는 것이 영속하리라는 믿음과 희미한 흔적들만 남은 도덕적 가치가 살아남으리라는 믿음을 표명한 것이다. “희미하게 깜빡이는 게 /저 아래 성냥 불빛은 아니라네.”

바로 우리 시대를 이야기하기 위해 나는 먼 길을 돌아와야만 했고 오비디우스의 연약한 메두사나 몬탈레의 역청 묻은 날개 달린 루시퍼를 불러내야 했다. 가벼움에 대한 자신의 생각을 일상생활의 여러 사건들을 예로 들며 표현한다는 것은, 그에 대한 끝없는 ‘탐색’이라는 도달 불가능한 목표를 정해 놓지 않으면, 작가에게는 쉬운 일이 아니다. 그런데 밀란 쿤데라가 바로 그 일을 분명히, 즉시 해냈다. 그의 소설 『참을 수 없는 존재의 가벼움』은 ‘피할 수 없는 삶의 무거움’에 대한 씁쓸한 확인이다. 불행한 그의 조국에 불어닥쳐 ‘구석구석 퍼져 있는’ 절망적인 압제의 상황만이 아니라, 무진장 운이 좋은 우리에게도 공통되는 인간의 상황에 대한 확인이다. 쿤데라에게 삶의 무게는 모든 형태의 강제성에 있다. 그러니까 갈수록 매듭이 조여들어 모든 존재

3 — 에스파냐 카탈루냐 지방의 민속춤. 여러 사람이 손을 잡고 원을 이뤄 독특한 스텝을 밟는다.

를 얽어매는 공적이며 사적인 촘촘한 강제성의 그물이다. 그의 소설은, 우리가 가벼운 것이라고 선택하여 높이 평가하는 모든 것이 삶 속에서 얼마나 빨리 참을 수 없는 무게를 드러내는지를 보여준다. 어쩌면 지성의 생동감과 유연성만이 이런 형벌을 피할 수 있을지도 모른다. 소설은 우리가 사는 세계와는 전혀 다른 세계에 속한 특질들로 쓰이게 된다.

인간의 왕국이 무거움의 형벌을 내게 선고한 것 같은 순간마다 나는 페르세우스처럼 다른 공간으로 날아가야 한다고 생각했다. 꿈이나 비이성적인 영역으로 도피하는 것을 말하는 것이 아니다. 내가 말하고 싶은 것은, 접근 방법을 바꾸어야만 하고 다른 시각, 다른 논리, 다른 인식과 다른 검증 방법들로 세상을 바라보아야 한다는 것이다. 내가 찾고 있는 가벼움의 이미지들이 현재와 미래의 현실로 인해 꿈으로 흩어져버리게 놓아두어서는 안 된다….

문학이라는 무한한 우주에는 언제나 탐험해야 할 아주 새로운 혹은 아주 오래된 여러 길들과, 세상의 이미지를 변화시킬 수 있는 표현법과 형식 들의 문이 열려 있다. 하지만 내가 단지 꿈을 좇고 있는 것만은 아니라는 확신을 문학에서 얻지 못할 경우, 모든 무거움이 사라지는 내 상상력들을 위한 자양분을 과학에서 찾아야 할 것이다….

오늘날 모든 분야의 과학은 이 세상이 DNA 메시지나 신경세포의 자극, 쿼크, 태초부터 공간을 떠돌아다녔던 중성자 같은 아주 미세한 실체 위에서 지탱되고 있다는 사실을 증명하려는 것처럼 보인다.

또 컴퓨터 과학이 있다. 사실 소프트웨어의 가벼움은 하드웨어의 무거움을 통해서만 힘을 발휘할 수 있다. 하지만 명령을 내리고 외부 세계와 기계에 작용하는 것은 소프트웨어이다. 소프트웨어가 기능할 때에만 그것들은 존재할 수 있으며 점점 더 복잡해지는 프로그램들을 처리할 수 있을 정도로 발전한다. 두 번째 산업혁명은 첫 번째 혁명처럼 금속판을 누르거나 철을 녹여 압착하는 이미지가 아니라, 전자 펄스의 형태로 회로를 따라 돌아다니는 정보 흐름의 비트로 등장했다. 철로 만든 기계들은 아직도 존재하지만 무게 없는 비트에 복종한다.

나의 바람에 부합하는 세계의 이미지를 과학적 담론에서 끌어내는 게 타당한 것일까? 지금 시도하는 이런 작업에 내가 이끌린다면, 이유는 이 작업이 시의 역사에서 아주 오래된 어떤 선과 다시 연결될 수 있다고 느꼈기 때문이리라.

루크레티우스의 『만물의 본질에 관하여*De rerum natura*』는 세상에 대한 지식이 세상의 견고한 것을 용해하고 한

없이 작고 유동적이고 가벼운 것을 지각하게 만드는 최초의 위대한 시 작품이다. 루크레티우스는 물질의 시를 쓰고자 했는데 이러한 물질의 진실한 실체가 눈에 보이지 않는 입자로 이루어졌음을 곧 깨닫게 되었다. 그는 영원하고 변함 없는 실체라는 면에서 본 물리적 구체성을 다룬 시인이지만, 제일 먼저 공간 역시 고체와 똑같이 구체적인 것이라고 우리에게 이야기한다. 루크레티우스의 가장 큰 관심사는 물질의 무게가 우리를 압박하는 일을 피하는 데 있는 듯하다. 모든 사건을 결정짓는 엄격한 기계적 법칙을 설정할 때 그는 직선에서 이탈하는 원자들이 있을 수도 있으며, 그런 이탈이 허용될 필요가 있다는 사실을 알게 되었고, 물질과 인간 모두에게 자유를 보장해줄 필요를 느꼈다. 눈에 보이지 않는 시, 예측할 수 없을 정도로 무한한 가능성을 가진 시, 그리고 무無의 시는 세상의 물질성을 조금도 의심하지 않는 시인에게서 탄생했다.

이렇듯 사물의 원자화는 가시적인 측면들에까지 확장된다. 그리고 루크레티우스의 시적 특성이 탁월하게 드러나는 부분은 바로 이 지점이다. 어두운 방에 스며든 한줄기 햇빛 속에서 소용돌이치는 먼지 입자들(II, 114~124). 부드러운 파도가 흠뻑 젖은 모래bibula harena 위에 실어다 놓은, 비슷하면서도 모양이 아주 다른 작은 조개들(II, 374~376).

우리가 걷고 있을 때 우리도 모르게 우리를 휘감는 거미줄들(III, 381~390).

나는 또 다른 백과사전적 시라 할 수 있는(루크레티우스의 시보다 50여 년 뒤에 쓰인) 오비디우스의 『변신 이야기』을 이미 인용한 바 있는데 이 시는 물질적인 실체가 아니라 신화를 출발점으로 삼고 있다. 오비디우스의 경우에도 모든 것이 새로운 형식으로 변할 수 있다. 오비디우스에게도 세상에 대한 지식이란 세상의 견고한 것을 용해하는 것이다. 또한 오비디우스에게도 존재하는 모든 것들 사이에 본질적인 균등함, 가치와 권력의 계층 구조에 반대하는 균등함이 있다. 루크레티우스의 세계가 불변의 원자로 이루어졌다면, 오비디우스의 세계는 모든 사물과 식물과 동물과 사람의 다양성을 결정짓는 특성, 속성, 형태로 이루어져 있다. 그러나 이들은 공통된 하나의 실체를 감싼 얇은 껍질일 뿐으로, 실체는—깊은 열정에 의해 동요될 경우—아주 상이하게 변할 수 있다.

오비디우스의 출중한 재능은 한 형태에서 다른 형태로 끊임없이 변하는 것을 추적하는 데서 여실히 드러난다. 한 여자가 자신이 대추나무로 변해 가고 있다는 사실을 깨달았을 때의 모습을 이야기하는 경우처럼 말이다. 그녀의 다리는 땅에 붙박여버렸고 부드러운 나무껍질은 그녀의 몸을 타고 올라가 사타구니를 감싸버린다. 절망적으로 머리를 쥐어뜯으려던 그녀는 자신의 손이 온통 나뭇잎으로 뒤덮였음을 발견한다. 또는 아라크네의 날렵한 손이 양털을 모아 실을 잣고 물레를 돌리고 수놓는 바늘을 움직이는 모습을 이야기할 때, 그리고 우리가 갑자기 그녀의 손이 연약한 거미 다리로 길게 변해서 거미줄을 치는 모습을 발견할 때도 마찬가지이다.

루크레티우스와 오비디우스에게 가벼움은 세상을 바라보는 하나의 방법으로서 철학과 과학에 기초를 두고 있는데, 루크레티우스는 에피쿠로스의 이론을, 오비디우스는 피타고라스의 이론을 토대로 하고 있다(오비디우스가 우리에게 소개한 것처럼 피타고라스와 붓다는 유사점이 아주 많다). 하지만 두 경우 모두 가벼움은, 시인들이 따르고 싶다고 밝힌 철학자의 이론과는 무관하게, 두 시인이 자신들만의 언어로 글쓰기를 통해 창조한 그 무엇이라고 할 수 있다.

지금까지의 이야기로 가벼움에 대한 정의가 분명해지는 것 같다. 무엇보다 우리 모두 알다시피 경박한 가벼움이 존재하는 한편 사려 깊은 가벼움도 존재한다는 것을 보여주었기를 바란다. 실제로 사려 깊은 가벼움 때문에 경박함이 무겁고 둔해 보일 수 있다.

이런 내 생각을 가장 잘 보여주는 것은 피렌체의 시인 귀도 카발칸티가 등장하는 『데카메론』(VI, 9)의 이야기일 것이다. 보카치오는 카발칸티를 교회 앞의 대리석 묘비 사이를 산책하며 명상하는 엄숙한 철학자로 우리에게 소개한다. 피렌체의 귀공자들은 떼를 지어 말을 타고 도시를 누비며, 이 파티장 저 파티장으로 몰려다니고 서로 돌아가며 초대할 횟수를 더 늘릴 기회만 항상 엿보았다. 카발칸티는 부유하고 품위 있지만 그들과 떠들썩한 파티를 즐기려 하지 않는 데다 그의 신비로운 철학은 불경스럽다는 의심을 받았기 때문에 귀공자들 사이에서 별 인기가 없다.

> 어느 날이었습니다. 귀도는 오르토 산 미켈레에서 출발해서 아디마리가街를 지나 산 조반니까지 갔습니다. 귀도는 자주 걷던 이 길로 산 조반니까지 가곤 했습니다. 지금은 산타 레파라타에 있는 웅장한 대리석 무덤들과 다른 많은 무덤들이 산 조반니 근처에 있었지요. 귀도는 반암斑岩 기둥들과 웅장한 무덤들과 닫혀 있는 산 조반니의 문 사이에 있었습니다. 그때 베토 씨가 자기 패거리들과 함께 말을 타고 산타 레파라타 광장을 따라 위쪽으로 올라오다가 거기, 무덤들 사이에 있는 귀도를 보고 이렇게 말했지요. "가서 좀 골려주자고."

그러고는 박차를 가하며 신나는 공격이라도 하는 양 귀도에게 달려가서 그가 알아보기도 전에 말을 시작했습니다. "귀도, 자넨 우리와 한패가 되길 거절했지. 하지만 이보게, 자네가 신이 존재하지 않는다는 사실을 발견하면 어떻게 할 건가?"

그들에게 포위된 것을 알아차린 귀도는 즉시 말했습니다. "여러분, 당신들 집에서는 내게 하고 싶은 말을 다 할 수 있소." 그리고 웅장한 무덤에 손을 얹더니 마치 한없이 가벼운 사람처럼 그렇게 펄쩍 뛰어 다른 쪽으로 넘어갔습니다. 그리고 패거리들에게서 자유로워져 자리를 떠났죠.

여기에서 우리에게 흥미로운 것은 카발칸티가 한 말이 아니다(카발칸티의 말은 그가 주장하는 '에피쿠로스주의'가 사실은 아베로에스주의라는 점을, 그러니까 개인의 정신이 보편적 지성에 속한다는 점을 고려하면 해석될 수 있다. 즉 육체의 죽음은 지적인 사색을 통해 보편적인 명상에 도달한 사람이라면 극복할 수 있으므로 무덤은 당신들의 집이지 나의 집은 아니다). 우리에게 깊은 인상을 남기는 것은 보카치오가 살려낸 시각적 이미지, 바로 "한없이 가벼운 사람처럼" 펄쩍 뛰어올라 자유로워지는 카발칸티의 모습이다.

새로운 천년을 맞이하기 위한 상서로운 상징을 골라야 한다면 나는 시인이자 철학자인 카발칸티의 갑작스럽고도 민첩한 도약을 택하고 싶다. 그는 세상의 무거움 위에 올라서서, 자신의 무거움 속에는 가벼움의 비밀이 숨어 있는 반면, 많은 사람들이 시대의 활력이라 믿고 있는 가벼움은 시끄럽고 공격적이며 불안정하고 요란하며, 마치 녹슨 자동차들의 무덤처럼 죽음의 왕국에 속한다는 것을 보여준다.

나는 여러분이 이러한 이미지를 머릿속에 간직하고 있기를 바라면서 이제 가벼움의 시인 카발칸티에 대해 이야기하려 한다. 그의 시에 '등장하는 인물들'dramatis personae은 인간이 아니라, 탄식, 광선, 시각 이미지, 그리고 무엇보다 그가 "정령들"이라고 칭하는 영적인 자극이나 메시지 같은 것들이다. 카발칸티는 사랑의 고통과 같이 전혀 가볍지 않은 주제를 감각적인 영혼과 지성적인 영혼, 마음과 정신, 눈과 목소리 사이를 오가는 감지할 수 없는 실체들로 녹여낸다. 간단히 말해 이것은 항상 다음과 같은 세 가지 특징으로 구별된다. 1) 가장 가벼운 것, 2) 움직이고 있는 것, 3) 정보 전달체. 몇몇 시에서는 이 메시지 겸 메신저가 바로 시 자체가 된다. 가장 유명한 시에서, 추방당한 시인은 쓰고 있던 발라드에게 말을 걸고 이렇게 말한다. "가거라, 가볍게 그리고 부드럽게 / 곧바로 나의 여인에게로." 또 다른 시에서는 펜과 펜촉을 뾰족하게 만드는 도구처럼 글쓰기에 쓰이는 도구들이 말을 한다. "우리는 몹시 당황한 가여운 깃촉 펜들 / 작은 가위와 고통에 잠긴 작은 칼…." 어떤 소네트에서는 "정령" 혹은 "작은 정령"이라는 단어가 행마다 등장한다. 뚜렷한 자기 풍자를 드러내며 카발칸티는 각자 다른 역할을 하는 열네 개의 "정령"들이 개입되는 추상적이고 복잡한 이야기들을 14행에 응축함으로써 그 키워드에 대한 편애를 결정적으로 드러낸다. 또 다른 소네트에서는 육체가 사랑의 고통에 의해 갈가리 찢기지만 "놋쇠나 돌 혹은 나무로 만들어진" 자동인형처럼 계속해서 걸을 수 있다. 이미 귀니첼리Guido Guinizelli[4]는 사랑의 고통 때문에 황동상으로 변한 시인을 한 소네트에 등장시켰다. 황동상은 자신이 전달하는 무게의 의미를 통해서만 힘을 갖는 아주 구체적인 이미지이다. 카발칸티에게서 물질의 무게는 인간 형상의 재료들이 수없이 존재할 수 있고 또 대체될 수도 있다는 사실 때문에 용해되어버린다. 단단한 물질이 은유로 등장하지 않으며, "돌"이라는 말이 시구를 짓누르지도 않는다. 우리는 루크레티우스와 오비디우스에 대해 내가 말했던 모든 존재의 균등함을 여기서 다시 발견하게 된다. 이탈리아

4 — 1230~76, 볼로냐 태생의 시인. 단테는 『신곡』에서 그를 가리켜 "달콤하고도 아름다운 연애시를 읊조리는 나보다 훌륭한 스승"이라고 했다.

문체 비평의 대가인 잔프랑코 콘티니는 그것을 "실재에 대한 카발칸티적 균등화"라고 정의한다.

카발칸티는 한 소네트에서 "실재의 균등화"에 대한 가장 적절한 예를 보여준다. 소네트는 아름다움의 이미지들을 열거하며 시작되는데, 이들은 모두 사랑받는 여인의 아름다움에 압도된다.

여인의 아름다움 그리고 지혜로운 마음
그리고 무장한 친절한 기사들,
새들의 지저귐과 사랑의 속삭임,
바다 위를 힘차게 달리는 멋진 배,

새벽녘의 맑은 공기
그리고 바람 한 점 없이 내리는 하얀 눈,
강변과 꽃들이 만발한 들녘,
황금색, 은색, 파란색 장식들 […]

"그리고 바람 한 점 없이 내리는 하얀 눈"이라는 구절은 단테가 「지옥」 편(XIV, 30)에서 "바람 없는 높은 산에 내리는 눈같이"라는 구절로 약간 변형해서 사용했다. 이 두 시구는 거의 일치하지만 전혀 다른 두 가지 사고를 드러낸다. 두 시구에서 바람 없는 눈은 가볍고 조용한 움직임을 떠오르게 한다. 하지만 바로 이 눈에서 두 구절의 유사성은 사라지고 차이점이 나타나기 시작한다. 단테의 시구는 장소("높은 산에")가 뚜렷하게 부각되다 보니 산악 지대의 풍경을 환기시킨다. 반면 카발칸티의 시구에서는 허사虛辭처럼 들릴 수도 있는 형용사 "하얀"이 역시 예상 가능한 "내리다"라는 동사에 연결되어 풍경을 지워버리고 정지된 추상적 분위기를 자아낸다. 그런데 결정적으로 두 시구가 다른 의미를 지닐 수 있는 이유는 첫 단어 때문이다. 카발칸티의 시에서 접속사 "그리고"는 눈의 모습을 이전에 나왔거나 뒤이어 나올 장면들과 동일한 선상에 놓는다. 그래서 마치 세상의 아름다움들을 모아 놓은 표본집같이 이미지들이 연속된다. 단테에게서 조사 "같이"는 풍경을 비유의 틀 속에 모두 가둬버린다. 하지만 이 틀 안에서 풍경은 구체적인 실체를 지니게 된다. 마찬가지로 구체적이고 극적인 실체는 불덩이가 비처럼 쏟아지는 지옥의 광경으로, 이것을 보여주기 위해 눈의 직유법을 도입한 것이다. 카발칸티의 시에서는 모든 것이 빠르게 움직이므로 우리는 그것의 일관성을 알지 못하고 효과만을 알아차릴 수 있다. 단테에게서는 모든 것이 일관성 있고 안정돼 있다. 즉 사물의 무게가 정확히 정해져 있다. 가벼운 것들에 대해 이야기할 때조차도 단테는 "바람 없는 높은 산에 내리는 눈같이"처럼, 가벼움의 무게를 정확히 부여하고 싶은 듯하다. 이와 유사한 다른 시구에서도 마찬가지인데, 물에 빠져 사라져 가는 육체의 무게는 "깊은 물속으로 사라지는 무거운 물건처럼"(「천국」 III, 123) 그대로 보존되어 속도가 느려지는 듯하다.

이 지점에서 우리가 기억해야 할 것은 우리가 사물의 무게를 경험하기 때문에 세상이 무게 없는 원자로 이루어졌다는 생각에 놀란다는 점이다. 마찬가지로 무게가 주어진 언어의 진가를 인정할 줄 모른다면 언어의 가벼움 역시 높이 평가할 수 없다.

이제 몇 세기에 걸쳐 문학 분야에서 서로 겨루어 온 두 가지 경향에 대해 이야기해보자. 하나는 수증기, 정확하게 말하면 미세한 입자, 더 정확히 말하면 자기장처럼 사물 위를 떠돌아다니는 무게 없는 요소를 언어로 바꾸려는 경향이다. 다른 하나는 무게, 두께, 그리고 사물과 육체와 감각의 구체성을 언어에 전달하려는 것이다.

이 두 개의 길은 이탈리아 (그리고 유럽) 문학의 태동기에 카발칸티와 단테에 의해 열렸다. 두 가지 경향의 대조는 일반적으로 유효하다. 하지만 어마어마하게 풍부한 단테 관련 자료와 유례없는 그의 다재다능함 때문에 무한히 세부적으로 들여다볼 필요가 있을 것이다. 가장 적절히 가벼움의 영향을 받은 단테의 소네트(「귀도, 자네와 라포와 내가*Guido, i'vorrei che tu e Lapo ed io*」)가 카발칸티에게 헌사된 것이 우연은 아니다. 『새로운 삶*Vita Nuova*』에서 단테는 스승과 친구[5]가 사용한 것과 똑같은 소재를 사용한다. 여기에는 스승과 친구의 작품에서 공히 발견되는 언어와 모티프와 개념이 들어 있다. 만약 단테가 『새로운 삶』에서와 마찬가지로 『신곡』에서도 가벼움을 표현하고자 했다면, 단테만큼 훌륭하게 해냈을 사람은 아무도 없을 것이다. 하지만 그의 천재성은 반대 방향으로 표현되어 음성적, 감정적 가능성들과 감각을 불러일으킬 수 있는 모든 가능성을 언어에서 제거해버리고, 다양한 층위와 형태와 특징을 지닌 세상을 시에 가두어버리고, 세상은 체계와 질서와 각자 제자리가 있는 계급 제도로 구성되어 있다는 의미를 전달한다. 두 경향에 대한 비교를 좀 더 해보자면, 단테가 가장 추상적이라 할 수 있는 지적인 사색에도 물질적 고체성을 부여하는 반면, 카발칸티는 명백한 경험의 구체성을 운율을 맞추고 음절을 나눈 시구에 녹여버린다고 말할 수 있다. 갑자기 플래시가 터지듯 생각이 번득이기라도 한 것처럼 말이다.

내가 카발칸티에게서 떠나지 못하고 꾸물거리는 이유

5 — 귀니첼리와 카발칸티를 가리킨다.

는 내가 말하는 '가벼움'이 의미하는 바를 (적어도 나 자신에게만이라도) 명확히 하는 데 도움을 주었기 때문이다. 나에게 가벼움이란 모호함이나 경우에 따른 포기가 아니라 정확함과 결단력이다. 폴 발레리는 이렇게 말한다. "사람은 깃털이 아니라 새처럼 가벼울 수 있다."

카발칸티의 도움을 받아 나는 적어도 세 가지에 이르는 가벼움의 예를 제시할 수 있다.

1) 무게가 없는 것 같은 언어의 조직을 통해 의미가 전달되기 때문에 언어가 가벼워지다가 의미 자체도 똑같이 밀도가 낮아지는 것.

이러한 방향에서 다른 예를 찾아보는 일은 여러분들에게 맡기겠다. 가령 에밀리 디킨슨이 우리가 원하는 하나의 예를 보여준다.

꽃받침 조각, 꽃잎, 그리고 가시
여느 때나 다름없는 어느 여름날 아침에 —
이슬 담긴 병 — 한두 마리의 벌 —

산들바람 — 나무 사이의 날갯짓 소리 —
그리고 나는 한 송이 장미!

2) 섬세하고 감지할 수 없는 요소들이 작용하는 심리적인 과정이나 추론에 대한 서술, 혹은 고도의 추상적 개념을 수반하는 어떤 묘사.

그러면 우리는 여기서 이에 합당한 가장 현대적인 예를 찾아 헨리 제임스의 글을 읽어볼 수 있는데 어느 페이지든 펼쳐보기만 하면 된다.

> 이 심연들, 가볍기는 해도, 그리고 다소 현기증 나는 공중에서 이따금 흔들리기는 해도 상당히 견고한 다리로 계속 연결된 이 심연들이, 그들의 용기를 시험하기 위해, 측연추를 떨어뜨려 깊이를 측정해보도록 수시로 요구하는 것 같았다. 게다가 이제 분명한 차이가 생겨났는데, 그동안 말로 할 수 없는 어떤 생각을 감추고 있다는 마처의 비난, 최근 그들이 나누었던 대화들 중 어떤 대화가 끝나갈 무렵 메이에게 했던 비난에 그녀가 항변할 필요성을 느끼지 않는 듯했기 때문이다.(『정글의 야수』, 3장)

3) 가냘픈 다리로 묘비를 뛰어넘던 카발칸티가 등장하는 보카치오의 소설에서처럼 상징적인 가치를 지닐 수 있는 가벼운 이미지의 인물.

말보다는 그 말이 환기하는 것 때문에 우리의 기억에 남아 있는 독창적인 이야기들이(문학적으로 독창적인 부분이) 있다. 돈키호테가 풍차 날개를 창으로 찌르다가 공중으로 날아가는 장면은 몇 줄로 묘사되며 세르반테스의 소설에서 차지하는 몫은 미미하다. 작가는 그 장면에 글재주를 조금도 투자하지 않았다. 그렇지만 모든 세기의 문학에서 가장 유명한 장면의 하나가 되었다.

나는 이런 정의들과 더불어 가벼움의 예들을 찾기 위해 내 서재의 책들을 뒤적여볼 수 있다고 생각한다. 나는 곧장 셰익스피어의 작품에서 머큐쇼가 무대에 등장하는 대목을 찾으러 간다. "자넨 사랑에 빠져 있어. 큐피드의 날개를 빌리도록 해 / 그래서 더 높이 날아오르라고." 로미오는 머큐쇼의 말에 금방 다음과 같이 대답한다. "난 사랑의 무게에 눌려 가라앉아버렸다네." 머큐쇼가 세상에서 행동하는 방식은 그가 처음에 사용한 춤추다to dance, 날아오르다to soar, 찌르다to prickle 같은 동사들에서 이미 결정된다. 인간의 얼굴은 하나의 가면visor이다. 그는 무대에 등장하자마자 자신의 철학을 설명할 필요를 느낀다. 그런데 이론을 설파하는 게 아니라 맵 여왕이 등장하는 꿈을 통해 자기 이야기를 풀어놓는다. 맵 여왕, 요정들의 산파인 그녀는 "호두 껍데기"로 만들어진 마차를 타고 등장한다.

그녀가 탄 수레의 바퀴살은 기다란 거미 다리요,
수레 뚜껑은 메뚜기 날개,
마구는 제일 작은 거미집이요,
목줄은 이슬 맺힌 달빛 광선,
그녀의 채찍 손잡이는 귀뚜라미 뼈, 채찍은 끝없이 긴 줄이라네.

그러므로 우리는 이 마차가 "감지할 수 없는 작은 원자들이 끄는" 마차라는 사실을 잊지 않도록 하자. 루크레티우스의 원자론과 르네상스 시대의 신플라톤주의와 켈트 신화가 뒤섞여 맵 여왕이 등장하는 꿈에 대한 정확한 세부 묘사가 가능했던 것 같다.

우리는 춤추는 머큐쇼의 발걸음까지도 새로운 천년의 문지방을 넘어서는 우리와 함께하기를 바란다. 『로미오와 줄리엣』의 배경이 된 시대는 많은 면에서 우리가 살고 있는 시대와 비슷하다. 즉 캐풀릿가와 몬터규가 사이에서 벌어진 무의미한 싸움과 똑같은 폭력적인 싸움 때문에 피에 물든 도시라든가, 보편적인 사랑의 모델이 될 수 없는, 유모가 설교하는 성적인 자유라든가, 생명이나 죽음을 위해서 사용할 수 있는지 전혀 확신하지 못하면서도 그저 자신의 '자연철학'에 대한 관대한 낙관주의로 행한 로렌스 수사의 실험들이 그렇다.

셰익스피어풍의 르네상스는, 신플라톤주의의 하늘에서부터 연금술사의 도가니에서 모습을 바꾸는 금속의 정령에 이르기까지, 대우주와 소우주를 연결하는 미세한 힘을 인지한다. 그리스 로마 신화는 요정과 드라이어드[6]들의 목록을 제공해주는 반면, 켈트 신화에서는 엘프와 요정과 함께, 아주 섬세하고 자연적인 힘이 훨씬 더 풍부하게 형상화된다. 이러한 문화적인 배경(두말할 필요도 없이 나는 르네상스 시대의 신비철학과 그것의 문학적 반향에 관한 프랜시스 예이츠Francis Yates[7]의 매력적인 연구를 생각하게 된다)은 내 주제의 가장 풍부한 예를 셰익스피어의 작품에서 찾는 이유를 설명해준다. 그러나 지금 나는 퍽Puck[8]과 어지럽게 변하는 『한여름 밤의 꿈』의 모든 광경, 혹은 에어리얼Ariel[9]과 "우리는 꿈으로 만들어진 것처럼"[10]이라고 말한 사람들만을 생각하고 있는 것은 아니다. 그보다는 오히려 배우들 자신이 그 연극을 밖에서 바라보듯 관조하며 우울과 아이러

6 — 나무 요정.
7 — 1899~1981, 영국의 르네상스 역사학자로 밀교의 역사에 관한 책을 썼다.
8 — 영국 전설상의 장난꾸러기 꼬마 요정.
9 — 중세 전설에 나오는 공기의 요정.
10 — 셰익스피어의 『템페스트』 4막에 나오는 말.

니로 극을 풀어 나갈 수 있게 해주는 서정적이면서 실존적이고 특별한 변환에 대해서 생각한다.

내가 카발칸티에 관해 이야기할 때 언급했던 무게 없는 무거움은 세르반테스와 셰익스피어 시대에 다시 꽃핀다. 그것은 레이먼드 클리반스키, 에르빈 파노프스키, 프리츠 삭슬이 공동 저술한 『토성과 우울*Saturn and Melancholy*』(1964)에서 연구된 우울과 유머의 특별한 결합이다. 우울이 가벼움으로 변한 슬픔이듯이, 유머는 육체적인 무게(보카치오와 프랑수아 라블레François Rabelais[11]를 위대하게 만든 인간적 육욕의 차원)를 상실한 희극이다. 이것은 자아와 세계 그리고 이 둘을 구성하는 모든 관계망을 의심한다.

뒤섞여 있어 서로 뗄 수 없는 우울과 유머는 덴마크 왕자 햄릿의 억양을 특징짓는데, 우리는 모든 혹은 거의 모든 셰익스피어 극에 등장하는 햄릿이라는 인물의 수많은 화신들을 통해 이미 그것을 인식하는 법을 배웠다. 그런 인물들 중의 하나로, 『뜻대로 하세요』에 등장하는 제이퀴스는 우울을 이렇게 정의한다(4막 1장).

…그것은 다양한 요소들과 여러 가지 물체들의 정수,

11 — 1483~1553, 프랑스 르네상스 문학을 대표하는 작가.

정확히 말하자면 곰곰이 생각할 때마다 우스꽝스러운 슬픔에 빠지게 했던 여행에서의 갖가지 경험의 정수가 혼합되어 있는 나의 고유한 우울입니다.

그러니까 우울은 꽉 채워지고 불투명한 것이 아니라 유머와 감각 들의 미세 입자로 만들어진 베일이며 원자의 티끌이다. 이 티끌은 사물들이 보여주는 다양성의 궁극적 본질을 형성하는 모든 것이다.

고백하자면, 셰익스피어를 루크레티우스적 원자론 추종자로 만들고 싶은 유혹을 강하게 느꼈다. 그러나 그것이 자의적이라는 사실을 누구보다 잘 알고 있다. 셰익스피어 이후 우주에 대한 원자론적 견해를 환상적으로 변형하여 명확히 표명한 최초의 근대 작가를 불과 몇 년 후에 프랑스에서 만나게 되는데, 바로 시라노 드 베르주라크[12]이다.

베르주라크는 환상과학소설의 진정한 선구자일 뿐만 아니라 뛰어난 지적, 시적 자질을 모두 갖춘 비범한 작가로 기억할 만하다. 가상디Pierre Gassendi[13]의 감각론과 코페르니

12 — 1619~1655, 프랑스의 작가. 귀족 집안에서 태어나 유복하게 자랐으나 학업을 위해 파리로 올라간 뒤 방탕한 생활을 일삼다 서른여섯 살에 요절했다. 베르주라크를 검술과 시재를 겸비한 낭만적 인물로 만든 이는 프랑스 극작가 에드몽 로스탕(1868~1918)이다.

13 — 1592~1655, 프랑스의 과학자, 수학자, 철학자.

쿠스 천문학의 지지자일 뿐만 아니라 이탈리아 르네상스의 '자연철학'—카르다노, 브루노, 캄파넬라—의 자양분을 섭취한 시라노는 근대문학에서 찾아볼 수 있는 원자론에 기반한 최초의 시인이다. 풍자를 하지만 진정한 우주적 감동도 살아 있는 작품에서 시라노는 생물이나 무생물을 포함한 다양한 사물의 통일성, 살아 있는 형태들의 다양성을 결정짓는 기본적인 요소들의 조합을 극찬한다. 무엇보다도 살아 있는 형태들이 창조된 불확실한 과정에 의미를 부여한다. 즉 아주 사소한 요인만으로도 인간이 인간으로, 생명이 생명으로, 세상이 세상으로 존재하지 않을 수 있었기 때문이다.

> 당신은 우연의 힘에 좌우되어 되는대로 뒤섞인 이러한 물질들이 어떻게 인간을 만들어낼 수 있는지에 놀랄 겁니다. 인간을 만들어내는 데 필요한 요소가 수없이 많다는 것을 감안할 때 말이지요. 하지만 이 물질은 인간을 만들어내는 동안에도 금방 돌을 만들어내고, 때로는 납을 때로는 산호를 때로는 꽃을 때로는 혜성을 만드느라 수억 번도 더 멈춘다는 사실을 당신은 알지 못할 겁니다. 인간을 만들어내는 데 필요한 혹은 필요하지 않은 부분이 너무 많거나 적기 때문입니다. 끊임없이 변화하고 움직이는 무한한 양의 물질들 속에서

동물, 식물, 광물로 변해 우리 눈에 보이는 것은 얼마 되지 않는다는 사실이 그렇게 놀라운 것은 아니지요. 마찬가지로 주사위를 100번 던져 말 한 쌍이 나오게 되는 것도 그다지 놀랍지 않습니다. 사실 이러한 가벼운 움직임으로부터 무엇인가가 만들어지지 않는 것도 불가능한 일입니다. 그리고 어리석은 사람은 이 무엇인가를 보고 감탄합니다. 이렇게 만들어지지 않는 경우가 더 드물다는 생각을 하지 못하니까요. (『달나라 여행』)

이런 식으로 베르주라크는 양배추와 인간이 한 형제임을 선언하기에 이르고 그렇게 해서 땅에서 막 뽑혀지고 있는 양배추가 인간에게 항의한다는 상상을 하게 된다.

"친애하는 인간 형제여, 내가 어떻게 했어야 나의 죽음이 값어치가 있어졌을까요? […] 난 땅에서 뽑혀 내 몸을 열고 팔을 펴서 당신에게 내 자식들을 씨앗으로 바쳤는데 당신은 내 친절에 보답하기 위해 내 머리를 자르려고 하고 있군요!"

진정한 보편적 형제애를 고취하기 위한 이러한 항변이 프랑스혁명이 일어나기 150여 년 전에 쓰였다는 점을 생각해보면, 인간중심적인 편협성에서 벗어나는 데 한없이 느린 인간의 의식이 독창적인 소설에 의해 어떻게 단번에 그 편협성을 극복하는지를 알 수 있다. 이 모든 것은 달나라 여행을 배경으로 하고 있는데, 거기서 베르주라크는 사모사타의 루키아누스Lucianus[14]와 루도비코 아리오스토Ludovico Ariosto[15] 같은 뛰어난 선조들을 상상력으로 뛰어넘는다. 가벼움에 대한 나의 논의에서 베르주라크가 무엇보다도 주의를 끄는 이유는 그가 뉴턴보다 먼저 우주의 중력 문제를 느꼈던 방식 때문이다. 좀 더 정확히 말하자면, 중력을 피하는 문제였다. 중력은 그의 환상을 자극해서 달에 오를 수 있게 만드는 시스템들을 고안하게 했는데, 이러한 방법들은 뉴턴보다 더 독창적이다. 예를 들어 햇볕에 증발되는 이슬을 가득 담은 유리병을 이용한다든지, 달이 습관적으로 빨아들인다는 황소의 골수를 몸에 바른다든지, 작은 배에서 자석 공을 여러 번 반복해서 공중에 수직으로 던진다든지 하는 방법이다.

자석을 이용하는 방법은, 날아다니는 라퓨타섬[16]을 만

14 — 240~312, 시리아 사모사타 출신의 신학자, 성서 연구가.

15 — 1474~1533, 이탈리아의 시인. 대표작으로 『광란의 오를란도*L'Orlando Furioso*』가 있다.

16 — 『걸리버 여행기』에 등장하는 가상의 섬.

들기 위해 자석을 사용한 조너선 스위프트에 의해 발전되고 완성된다. 날아다니는 라퓨타섬이 등장하는 바로 그 순간 스위프트의 두 가지 강박관념이 신비한 균형을 이루며 사라지는 것처럼 보인다. 두 가지는 바로 그가 풍자의 목표로 삼았던 이성주의의 비물질적 추상성과 육체의 물질적 무게이다.

> …그래서 나는 여러 회랑과 계단에 둘러싸인 그 섬의 측면을 볼 수 있었는데, 회랑과 계단은 일정한 간격을 두고 떨어져 있어서 위아래로 오르내릴 수 있었다. 이 회랑들 중 가장 낮은 회랑에서 긴 장대를 가지고 낚시를 하는 몇 명의 남자들과, 그것을 구경하는 남자들을 보았다.

스위프트는 뉴턴과 같은 시대의 사람이며 경쟁자였다. 볼테르는 뉴턴을 숭배했기 때문에 미크로메가스Micromégas라는 거인을 상상해냈다. 스위프트의 거인들과는 전혀 다른 이 미크로메가스는 거대한 신체가 아니라 숫자로 제시되는 크기와 과학 논문처럼 정확하고 감정이 담기지 않은 용어로 표현되는 공간적, 시간적 속성을 통해 정의된다. 이러한 논리와 문체 덕택으로 미크로메가스는 시리우스 별에서 토성과 지구에 이르는 공간을 여행할 수 있었다. 뉴턴의 이론에서 문학적 상상력을 자극하는 것은 모든 사물과 사람이 예외 없이 각자의 고유한 무게에서 벗어날 수 없는 상황이 아니라, 천체들을 우주 공간 속에서 자유롭게 움직일 수 있게 해주는 힘의 균형이라고 할 수 있다.

18세기의 상상력의 영역은 공중에 떠 있는 모습들로 가득 차 있다. 당시 세기 초에 앙투안 갈랑Antoine Galland이 『천일야화』를 프랑스어로 번역해 하늘을 나는 융단, 날아다니는 말, 램프에서 나오는 요정 같은 경이로운 동양적 요소들을 서양에 소개해서 상상력을 펼치게 한 것은 우연이 아니다.

18세기에 모든 한계를 뛰어넘는 이런 적극적인 상상력은 포탄을 타고 날아다니는 뮌히하우젠Münchhausen 남작[17]에 의해 정점에 도달하는데, 그 이미지는 우리 기억 속에 있는 귀스타브 도레의 걸작 삽화와 정확히 일치한다. 『천일야화』와 마찬가지로 작가가 있는지 또는 여러 사람이 공동으로 지어낸 이야기인지 아니면 누가 만들어냈는지조차 알 수 없는 뮌히하우젠의 모험들은 중력의 법칙에 계속 도전하는 것이다. 남작은 오리들에 의해 공중으로 날아 오르고,

17 — 가공 모험담을 쓴 독일 작가 뮌히하우젠의 『허풍선이 남작』에 나오는 주인공을 가리킨다.

길게 땋은 가발을 잡아당겨 자신과 말을 위로 끌어올렸으며, 달에서 돌아오는 동안 밧줄이 여러 차례 잘려 다시 묶으며 내려오기도 한다.

지식인 문학과 함께 살펴본 민중문학의 이러한 이미지들은 뉴턴 이론의 문학적 반향을 보여주는 것이다. 자코모 레오파르디Jiacomo Leopardi[18]는 열다섯 살에 놀라울 정도의 박식함을 보여주는 천문학사를 썼는데 여기에는 특히 뉴턴의 이론이 요약되어 있다. 레오파르디의 가장 아름다운 시들은 밤하늘을 바라보며 영감을 받은 것이지만 그 밤하늘은 서정적인 모티프만은 아니었다. 달에 대해 이야기할 때 레오파르디는 자기가 무엇을 이야기하는지 정확히 알고 있었다.

참을 수 없는 삶의 무게를 끊임없이 생각했던 레오파르디는 새라든가 창에서 노래하는 여인의 목소리, 투명한 공기, 그리고 특히 투명한 달과 같은 가벼움의 이미지들을 우리가 절대 손에 넣을 수 없는 행복 같은 것이라고 생각한다.

달이 시인들의 시에 등장하면 항상 가벼움, 정지, 고요하고 평온한 매혹의 느낌을 전달하는 힘을 지니게 된다. 처

18 — 1798~1837, 이탈리아의 시인. 어린 시절부터 철학, 고전, 천문학 등을 연구했고 라틴어, 그리스어 등을 공부해 다방면의 글을 썼다. 비극적인 삶의 영향으로 주로 염세적인 시를 썼다. 시집으로는 『노래들*I Canti*』이 있다.

음에 나는 이번 강의 전부를 달에 바치고 싶었다. 시대와 장소를 가리지 않고 문학 속에 나타난 달의 모습을 뒤쫓아 가 보고 싶었다. 그러다가 달에 관한 모든 것을 레오파르디에게 맡기기로 결정했다. 레오파르디는 정말 달빛과 비슷해 보일 정도로 언어에서 모든 무게를 제거하는 기적을 이루었기 때문이다. 그의 시에 수없이 묘사된 달의 모습은 몇 줄에 불과하지만, 이 정도로도 시를 달빛으로 환히 밝히거나 부재하는 달의 그림자를 투영하기에 충분하다.

부드럽고 맑은 밤, 바람도 불지 않고.
지붕 위에, 그리고 들녘 한가운데
달님이 조용히 내려앉고 멀리 있는
산들이 평화로이 모습을 드러내는구나.
…
오 아름다운 달님이여, 한 해가 지난 지금
이 언덕에서 당신을 바라볼 때 찾아들던 고뇌가
떠오르는구려.
그때 당신은 숲 위에 떠 있었지.
지금처럼 사방을 환히 비추며.
…
오 사랑스러운 달님이여, 고요한 당신의 빛에

숲속의 토끼들이 함께 춤을 추는구려.
…
이제 주위가 어두워지고,
맑은 하늘은 검푸르게 변하고,
이제 떠오른 달님의 하얀 빛 아래
언덕에도, 지붕에도
다시 어둠이 내려앉는구나.
…
달님, 당신은 하늘에서 무얼 하지요? 내게 말해주오,
무얼 하는지,
고요한 달님이여?
밤이면 떠올랐다가 떠나지요.
황무지를 바라보며. 그리고 거기 내려앉지요.

이번 강의에 너무 많은 이야기들이 뒤얽혀 있는 것은 아닐까? 나 스스로 결론을 내리기 위해서는 어떤 이야기를 끌어내야만 할까? 달, 레오파르디, 뉴턴, 중력, 그리고 공중부양浮揚과 연결되는 이야기가 하나 있다…. 루크레티우스, 원자론, 카발칸티의 사랑의 철학, 르네상스의 마법, 시라노의 이야기도 있다…. 또 입자로 이루어진 세상의 본질을 은유적으로 표현하는 글쓰기에 대한 이야기도 있다. 이미 루크레티우스는 문자란 계속 움직이는 원자여서 그것들이 서로 위치를 바꾸면서 다양한 말과 소리가 만들어진다고 생각했다. 오랫동안 전통적으로 이 생각을 다시 받아들인 사상가들이 있었는데 그들에게 세상의 비밀들은 조합된 글쓰기의 기호들 속에 숨어 있었다. 라몬 율Ramón Llull의 『아르스 마그나*Ars Magna*』, 에스파냐 랍비들의 카발라와 피코 델라 미란돌라Pico della Mirandola[19]를 예로 들 수 있다…. 갈릴레이 역시 알파벳을 최소 단위를 모두 조합해낼 수 있는 모델로 생각했다…. 그리고 라이프니츠….

이 길로 들어서야만 하는 걸까? 그러면 나를 기다리고 있는 결론이 너무 뻔하지 않을까? 현실의 모든 과정에 대한 모델이 될 만한 글쓰기… 사실은 인식 가능한 단 한 가지 현실의… 또는 '간단히 말해' 유일한 현실의… 아니 나는 내가 이해하는 언어의 사용, 그러니까 사물들을 끝없이 추적하고 사물들의 무한한 다양성에 발맞추어 나가는 언어의 사용과는 너무나 먼 곳으로 나를 데려가고야 마는 이 길로 들어서지 않을 것이다.

아직 하나의 방향이 더 남아 있는데 처음에 내가 이야기를 시작했던 방향이다. 바로 실존적 기능을 수행하는 문

19 — 1463~1494, 르네상스 시기의 이탈리아 철학자.

학, 삶의 무게에 대한 반동으로서의 가벼움에 대한 탐색이다. 분명 루크레티우스나 오비디우스도 이러한 필요성에서 자극을 받았으리라. 루크레티우스는 에피쿠로스적인 정신의 평정을 찾았다—혹은 찾았다고 믿었다. 오비디우스는 피타고라스가 말하는 다른 생에서의 부활을 추구했다—혹은 추구했다고 믿었다.

문학을 지식의 탐구로 바라보는 데 익숙해지자 나는 실존적인 영역에서 움직이기 위해서 문학을 인류학, 민족학, 신화학으로 확장해 생각할 필요가 있다고 느꼈다.

가뭄이나 질병 혹은 사악한 세력으로 인해 부족의 생존이 위협받을 때 샤먼은 이에 대응해 자기 육체의 무게를 없애고 현실을 변화시킬 힘을 찾을 수 있는 다른 세계, 다른 인식의 차원으로 날아간다. 우리가 사는 시대와 문명에서 그리 멀지 않은, 불과 몇 세기 전에 마녀들은 한밤중에 빗자루 손잡이를 타거나, 이삭이나 지푸라기처럼 아주 가벼운 탈것에 몸을 싣고는 여인들이 자신들에게 강요된 무거운 삶의 무게를 견뎌 나가고 있는 마을 하늘을 날아다녔다. 종교재판관들이 이단으로 규정하고 성문화하기 이전에 이런 광경은 민중적 상상력의 일역을 담당했다. 또는 실제 경험의 일부였다고 할 수 있다. 나는 간절히 바라는 공중 부양과 힘겨운 고난의 이러한 관계가 인류학의 상수라고 생각한다. 바로 이런 인류학적 장치가 문학을 영속시킨다.

제일 먼저 구전문학이 있다. 다른 세계로 날아가는 일은 동화에서 흔히 볼 수 있는데 블라디미르 프로프의 『민담 형태론』에서 여러 가지 "기능들" 가운데 "주인공의 이동" 방식의 하나로 다음과 같이 정의된다. "대개 주인공이 찾는 대상은 여러 '다른' 왕국에 있다. 수평적으로 보았을 때 아주 먼 거리에 있거나 수직적인 면에서는 아주 높이 혹은 깊은 곳에 자리 잡고 있을 수도 있다." 프로프는 계속해서 "주인공이 공중으로 날아가"는 다양한 경우의 예를 목록으로 작성해 나간다. "말이나 새, 혹은 새의 모양새를 한 것의 등에 앉거나, 날아가는 배 혹은 양탄자를 타고 가거나, 거인이나 천사의 어깨에 앉거나, 악마의 마차를 타거나 등등."

내가 보기에는 인류학과 민속학이 자료화한 샤먼과 마녀의 기능을 문학적 상상력과 연결하는 것이 억지 같지만은 않다. 오히려 정반대로, 모든 문학적인 작용 속에 감추어진 깊이 있는 합리성은 그에 부합하는 인류학적 필요에 기반해 탐구되어야 한다고 본다.

나는 카프카의 소설 『양동이 기사*Der Kübelreiter*』를 떠올리며 이 강의를 끝마치려 한다. 이것은 카프카가 1917년에 쓴 1인칭 단편소설이다. 소설의 출발점은 오스트리아 제국이 가장 처참했던 겨울, 전쟁이 벌어진 겨울에 겪게 되는 석탄 파동이라는 아주 실제적인 상황이다. 화자는 난로 피울 석탄을 구하러 텅 빈 양동이를 들고 밖으로 나온다. 거리로 나오자 양동이는 말 노릇을 하는데 실제로 양동이는 건물의 1층 높이까지 그를 들어 올리고, 그는 마치 낙타의 등에 올라탄 것처럼 흔들리며 이동한다.

석탄 장수의 가게는 지하에 있고 양동이 기사는 너무 높은 곳에 있다. 양동이 기사는 석탄을 줄 것 같아 보이는 가게 주인에게 사정을 이야기하려고 애쓰지만 그 남자의 아내는 들으려 하지 않는다. 양동이 기사는 비록 돈을 금방 갚을 수는 없겠지만 질 나쁜 석탄이라도 한 삽만 달라고 간청한다. 하지만 석탄 장수의 부인은 앞치마를 풀어서 파리를 쫓듯 불법 침입자를 쫓아버린다. 양동이는 너무나 가벼워서 기사를 싣고도 날아가듯 얼음산들을 넘어 사라져버린다.

카프카의 많은 단편은 대부분 신비한 면이 있어서 그를 특별하게 만든다. 어쩌면 카프카는 그저 전쟁이 벌어지고 있는 추운 겨울밤에 석탄을 구하기 위한 외출이 단순하게 흔들리는 빈 양동이와 함께, 떠돌이 기사의 탐색, 카라반의 사막 횡단, 마법의 비행으로 변해버린다고 이야기하고 싶었을 뿐인지도 모른다.

텅 빈 양동이가 도움을 얻을 수 있는 곳이자, 다른 이들의 이기심이 자리한 곳보다 더 높은 데로 우리를 끌어올려주리라는 생각, 고난과 희망과 탐색의 표식인 텅 빈 양동이가 우리의 겸허한 기도가 더 이상 응답받을 수 없는 지점으로 우리를 높이 올려준다는 생각, 이 모든 것이 끝없는 성찰의 길을 연다.

나는 샤먼에 대해, 동화의 주인공에 대해, 가벼움으로 변형되어 모든 결핍이 마법적으로 보상받는 왕국으로 날아가게 해주는 힘겨운 고난에 대해 이야기했다. 양동이와 같이 하잘것없는 가정용품을 타고 날아다니는 마녀들에 대해서도 이야기했다. 그러나 카프카 소설에 등장하는 주인공은 샤머니즘적인 힘이나 마법적인 힘을 지니지도 못한 듯하고, 얼음산들 저 너머에 있는 왕국에도 텅 빈 양동이를 채울 만한 것은 없는 것 같다. 양동이가 가득 차면 찰수록 날아가는 일은 더 힘들어진다. 그러니 우리는 양동이에 걸터앉아 새로운 천년기에 가져갈 수 있는 것보다 더 많은 것을 거기에서 찾을지도 모른다는 희망은 접어 두고 2000년을 맞이해야 할 것 같다. 우리가 새 천년기에 가져갈 것으로는, 예를 들어, 이 강의에서 그것의 미덕을 설명해보려 했던 가벼움이 있다.

2강

신속성

Rappidità

이번 강의는 여러분에게 오래된 전설 하나를 들려주면서 시작하려 한다.

카롤루스 대제는 노년에 어느 독일 처녀를 사랑하게 되었다. 궁정 대신들은, 열정적인 사랑에 빠져 국왕의 품위를 저버린 채 제국의 정무을 소홀히 하는 황제를 보면서 매우 염려했으나 갑작스럽게 처녀가 죽자 안도의 한숨을 내쉬었다. 하지만 그것도 잠시였다. 카롤루스의 사랑은 그녀와 함께 죽지 않았기 때문이다. 시체에 방부 처리를 해서 방으로 옮긴 황제는 시체 곁을 떠나려 하지 않았다. 이러한 무시무시한 열정에 놀란 대주교 트루핀은 황제가 마법에 걸렸을지도 모른다는 생각에 시체를 조사해보고자 했다. 그는 시체의 혀 밑에서 보석 반지를 찾아냈다. 반지가 트루핀의 손에 들어가자마자 카롤루스 대제는 서둘러 시체를 매장하게 했고 이제는 대주교를 열렬히 사랑하게 되었다. 트루핀은 이런 당황스러운 상황에서 벗어나기 위해 반지를 콘스탄츠의 보덴 호수에 던져버렸다. 급기야 카롤루스 대제는 호수를 사랑하게 되어 호숫가를 떠나려 하지 않았다.

"마술에 관한 책에서 발췌한" 이 전설은 프랑스 낭만주의 작가 쥘 바르베 도르비이Jules Barbey d'Aurevilly의 미공개 비망록에 기록되어 있는데 내가 들려준 이야기보다 훨씬 간결하게 묘사되었다. 플레이아드 출판사에서 펴낸 도르비이의 작품집(I, p.1315)에 이 전설에 관한 글이 실려 있다. 글을 읽은 순간부터 마법의 반지가 이야기 속에서 여전히 힘을 발휘하는 것처럼 내 머릿속에 계속 나타났다.

이와 같은 전설이 어떻게 우리를 매혹시키는지 이유를 한번 설명해보자. 관습을 완전히 벗어난 일련의 사건들이 서로 연결되어 펼쳐진다. 젊은 처녀를 향한 노인의 사랑, 시간屍姦의 망상, 동성애 성향, 그러다가 결국에는 모든 것이 우울한 명상으로 가라앉는다. 늙은 왕은 홀린 듯 호수를 바라본다. "카롤루스 대제는 깊고 깊은 호수에 대한 사랑으로 콘스탄츠 호수를 뚫어지게 바라보았다." 도르비이는 소설의 한 구절에서 이렇게 쓰고 있는데, 전설과 관련된 주석을 참고해야 하는 대목이다.(『늙은 여주인*Une vieille maîtresse*』)

이러한 연이은 사건들을 하나로 잇는 언어적 연결고리가 있다. '사랑' 혹은 '열정'인데 이 두 단어는 서로 다른 형태의 매력에 연속성을 부여한다. 그리고 서사적 연결고리인 마법의 반지는 다양한 일화들 사이에 논리적인 인과관계를 설정한다. 존재하지 않는 대상물을 향한 욕망의 흐름, 반지의 텅 빈 원으로 상징된 부재, 결핍은 서술된 사건이 아니라 이야기의 리듬에 의해 더 잘 표현된다. 마찬가지로 모든 이야기를 관통하는 것은 죽음에 대한 예감인데 카롤루스 대제는 삶의 관계들에 매달려 불안하게 그와 싸우는 듯 보인다. 그후 불안감은 호수를 관조하며 진정된다(이것은 역사적인 자료와 일치한다. 카롤루스 대제 말년의 연대기에 따르면 병이 깊어진 황제가 콘스탄츠 호숫가로 거처를 옮겼는데 사망하기 1년 전 머리 수술을 받았다).

어쨌든 이야기의 진정한 주인공은 마법의 반지이다. 반지의 움직임이 등장인물의 움직임을 결정지을 뿐 아니라 등장인물들 사이의 관계를 설정하는 것도 바로 반지이기 때문이다. 마법의 물건 주위에 일종의 힘의 영역이 형성되고 이는 바로 이야기의 영역이 된다. 마법의 물건이란 사람들, 또는 사건들 간의 연결 관계를 분명하게 만드는 눈에 보이는 상징이라고 말할 수 있다. 그것의 서사적 기능은 바로 북유럽의 사가saga[1]와 기사소설에서 그 역사를 추적할 수 있으며 르네상스 시기의 이탈리아 시에 계속 나타나기도 한다. 『광란의 오를란도』에서 우리는 검, 방패, 투구, 말 들이 끊임없이 교환되는 것을 볼 수 있는데 이 물건들은 저마다 고유한 특성을 지니고 있다. 따라서 플롯은 어떤 힘을 가진 물건에 깃든 특성의 교환을 통해 묘사될 수 있다. 물건이 가진 힘은 등장인물들 간의 관계를 결정한다.

사실적인 이 이야기에서 맘브리노의 투구는 이발사의

1 — 영웅, 왕후를 다룬 북유럽의 전설, 무용담, 모험담.

대야가 되지만 중요성이나 의미를 상실하는 것은 아니다. 그와 마찬가지로 로빈슨 크루소를 난파에서 구해준 모든 물건들과 그가 손수 만든 물건들도 매우 중요하다. 하나의 물건이 이야기에 등장하는 순간부터 특별한 힘을 부여받고, 자기장의 극이나 보이지 않는 관계망의 매듭이 된다고 말할 수 있다. 물건의 상징성은 분명하거나 흐릿할 수 있지만 언제나 존재한다. 어떤 이야기에 등장하는 물건은 언제나 마법의 물건이라고 말할 수 있을 것이다.

카롤루스 대제의 전설로 돌아가보면, 이탈리아 문학에서 그런 전통이 발견된다.

페트라르카는 『서간문』(I, 4)에서 이 "매력적인 짧은 이야기"fabella non inamena를 알고 있었다고 이야기하는데, 아헨에 있는 카롤루스 대제의 무덤을 방문했을 때 그것을 믿지 않는다고 밝힌다. 페트라르카의 라틴어로 쓰인 이야기는 훨씬 세부적이며 감각적이고(쾰른의 대주교는 기적과 같은 신의 계시에 따라 손가락으로, 차갑고 딱딱한 시체의 혀 밑을sub gelida rigentique lingua 뒤진다) 도덕적인 주해가 수없이 많다. 하지만 나는 무미건조하고 간략한 이야기가 훨씬 더 매력적이라고 생각한다. 거기에서는 모든 것이 상상력에 맡겨지고 사건들이 신속하게 연속되어 불가피한 일이라는 느낌을 받게 된다.

이 전설은 이탈리아어가 융성하던 16세기에 다양하게 변형되어 다시 등장하는데 시간屍姦의 상황이 훨씬 강조된다. 베네치아 태생의 단편소설 작가인 세바스티아노 에리초는 시체와 함께 침대에 누운 카롤루스 대제가 비탄에 잠겨 시체에게 이야기하는 장면을 몇 페이지 걸쳐 묘사한다. 한편 대주교를 향한 동성애적 사랑은 암시되기만 하거나 아예 지워져버린다. 16세기의 사랑에 관한 아주 유명한 논문 중의 하나인, 주세페 베투시의 논문이 그와 같은 경우인데 여기에서 이 전설은 반지를 되찾는 데서 끝난다. 페트라르카와 그의 뒤를 이은 이탈리아 작가들은 결말에서 콘스탄츠 호수를 언급하지 않는다. 이 전설은 카롤루스 대제가 아헨에 건축한 왕궁과 대성당의 기원을 설명해야만 해서 모든 행위가 아헨에서 전개되기 때문이다. 반지는 늪에 던져지고 카롤루스 대제는 향기로운 냄새라도 되듯 진흙 냄새를 맡는다. 그리고 "그 물을 사용하며 쾌감을 느낀다." (이 대목에서 온천의 기원을 두고 여러 지방에서 전해지던 다른 전설들과 연결된다.) 이런 세세한 요소들은 전체 이야기 가운데 죽음의 영향을 다시 강조한다.

이보다 먼저 중세 독일의 전설들이 있었다. 가스통 파리Gaston Paris[2]는 죽은 여자를 향한 카롤루스 대제의 사랑과 관련된 전설들을 연구했는데 변형된 여러 이야기들은 원래의 전설과 상당히 달랐다. 어떤 전설에서는 애인이 황제의 정식 신부가 되는데 마술 반지를 가지고 황제의 사랑을 계속 받는다. 또 다른 전설에서는 반지를 손에서 빼자마자 그녀는 죽은 요정 혹은 님프가 된다. 살아 있는 여인이었는데 반지를 빼자마자 시체로 변해버린다는 전설도 있다. 아마도 스칸디나비아 사가가 이 전설들의 뿌리가 되었을 것이다. 노르웨이의 국왕이었던 하랄은 죽은 아내 옆에서 잠을 자는데 그녀는 살아 있는 사람처럼 보이게 만드는 마법의 망토에 감싸여 있다.

간단히 말해 파리가 수집한, 변형된 중세의 전설은 계속 이어지는 사건들의 연결고리가 부실하고, 페트라르카와 르네상스 작가들의 변형된 전설은 신속성이 부족하다. 그렇기 때문에 나는 비록 여러 이야기를 '모아' 조잡한 측면이 있기는 하지만 도르비이의 변형된 이야기를 좋아한다. 그것의 비밀은 이야기의 경제성에 있다. 사건들은 지속되는 시간과는 별개로 점이 되어 직선으로 연결되며, 쉴 새 없는 움직임을 시사하는 지그재그 모양을 그려낸다.

이 때문에 신속성이란 그것 자체로 가치를 지닌다고 말하고 싶지는 않다. 서사에서의 시간은 늦춰질 수도 있고

2 — 1839~1903, 프랑스의 작가이자 학자. 아버지의 뒤를 이어 콜레주 드 프랑스에서 프랑스 중세 문학을 가르쳤다.

순환할 수도 있으며 움직이지 않을 수도 있다. 어쨌든 이야기는 지속되는 시간을 토대로 한 활동이며, 시간의 흐름을 따라 움직이며 시간을 늦추거나 빠르게 하는 마법이다. 시칠리아에서는 동화를 들려주는 사람은 다음과 같은 표현을 사용한다. "이야기는 시간에 구애받지 않는다." 몇 구절을 뛰어넘고 싶을 때나 몇 달 혹은 몇 년의 공백을 알리고 싶을 때 쓰는 표현이다. 민간에서 전해져 내려온 이야기를 구술하는 기술은 기능성의 기준들과 일치한다. 불필요한 세부 사항들은 건너뛰기도 하지만 어떤 것은 계속 반복하기도 한다. 예를 들면 극복해야 할 일련의 장애물들로 이루어진 동화 같은 경우이다. 반복되는 이야기들, 다시 말해 반복되는 상황들, 문장들, 공식들을 기다리는 것도 이야기를 듣는 어린이를 기쁘게 한다. 시나 노래에서 운율에 의해 리듬이 생기듯이 산문 서사에서는 사건들이 서로 운율을 맞춘다. 카롤루스 대제의 전설은 시의 운율처럼 상응하는 사건들로 구성되었기 때문에 매우 효과적인 서사이다.

내가 작가로 활동하던 어떤 시기에 민담folktale이나 동화fairytale에 매혹되었다면 그것은 민족적 전통에 대한 충성심 때문도 아니고(나의 뿌리는 완전히 현대화되고 세계화된 이탈리아에 있기 때문에) 동화에 대한 향수 때문도 아니었다(우리 집에서 아이들은 교육적인 책들과 다소라도 과학과 관련된 책들만을 읽어야만 했다). 무엇보다 문체와 구조, 이야기의 경제성, 리듬, 이야기가 전개되어 가는 본질적인 논리에 대한 관심 때문이었다. 19세기의 민속학자들이 기록으로 남긴 이탈리아 동화들을 현대에 맞게 다시 쓰는 작업을 하면서 본래 텍스트가 아주 간결할 때 나는 특별한 기쁨을 맛보았다. 그래서 원래의 동화를 옮길 때 간결성을 존중하고 서사의 힘과 시적인 매력을 최대한 끌어내려고 애썼다. 예를 들면 이런 경우이다.

> 어떤 왕이 병이 들었다. 의사들이 와서 말했다. "폐하, 쾌차하시려면 괴물의 깃털이 필요합니다. 매우 힘든 일입니다. 괴물은 사람을 보기만 하면 모두 잡아먹어 버리니까요."
>
> 왕은 모두에게 그 사실을 알렸지만 누구도 괴물에게 가려 하지 않았다. 충성심이 깊고 용기 있는 부하에게 왕이 부탁하자 부하가 말했다. "가겠습니다."
>
> 사람들이 그에게 길을 가르쳐주었다. "산꼭대기에 일곱 개의 동굴이 있는데 한 동굴 속에 괴물이 살고 있네." 사나이는 떠났고 길에서 어둠을 맞이하였다. 그는 한 여관에 머물렀다….
>
> 『이탈리아 민담집』, 쉰일곱 번째 이야기

왕이 어떤 병을 앓고 있는지, 괴물이 어떻게 깃털들을 갖게 되었는지, 이 동 굴들이 어떻게 생겼는지 전혀 언급되지 않는다. 그러나 언급된 것은 모두 플롯에서 필수적인 기능을 수행한다. 민담의 첫째 특징은 표현의 경제성이다. 아주 특이한 모험들이 기본 요소만이 설정된 채 이야기된다. 언제나 시간과의 싸움이나, 바라는 바를 이루거나 잃어버린 소중한 것을 되찾는 일을 가로막거나 늦추는 장애물과의 투쟁이 등장한다. 시간은 잠자는 미녀가 있는 성에서처럼 완전히 멈춰버릴 수 있으며 이 때문에 샤를 페로는 다음과 같이 쓰기만 하면 되었다.

> 자고새와 꿩 들을 가득 꿰어 놓은 난로 속의 꼬챙이들도 잠이 들어버렸고 난롯불까지 잠에 빠졌다. 이런 모든 것은 순식간에 일어났다. 요정들은 재빠르게 그들의 볼일을 봤다.

시간의 상대성은 거의 모든 민담에서 찾아볼 수 있는 주제이다. 저세상으로 여행을 떠났던 사람은 그곳에서 불과 몇 시간 정도밖에 보내지 않은 듯한데 출발한 장소로 돌아와보면 여러 해가 흘러버려 원래 모습을 어디서도 찾을 수 없다. 이러한 모티프는 미국 문학의 초창기에 워싱턴 어빙Washington Irving[3]의 『립 밴 윙클Rip Van Winkle』에서 비롯되었다는 것을 잠깐 언급하고 지나가려 한다. 이 작품은 변화를 토대로 한 미국 사회의 기원 신화라는 의미를 지닌다.

이러한 모티프는 서사적 시간의 알레고리, 실제 시간과의 관계라는 측면에서는 가늠할 수 없는 시간의 알레고리로도 이해할 수 있다. 정반대의 경우에서도 동일한 의미를 찾아볼 수 있다. 즉 이야기 내에서 한 이야기가 다른 이야기로 계속 뻗어 나가며 시간이 확장되는 경우인데 동양의 이야기에서 그와 같은 특징이 드러난다. 셰에라자드는 이야기를 들려주는데 한 이야기 속에 다른 이야기가 들어 있고 그 속에 또 다른 이야기가 들어 있고 … 계속 그렇게 이어진다.

매일 밤 셰에라자드가 목숨을 구할 수 있었던 것은 이야기들이 다 연결되어 있다는 것을 알고, 정확한 순간에 중단할 줄 아는 기술 덕택이었다. 바로 시간의 연속성과 불연속성을 다루는 두 가지 기술이다. 그것은 리듬의 비밀이자 시간을 포착하는 방법으로 우리는 처음부터 그것을 알 수 있다. 그러니까 리듬은 시적인 운율의 효과로 인해 서사시에서, 시간의 포착은 어서 빨리 다음 이야기를 듣고 싶게

3 — 1783~1859, 미국의 수필가, 단편소설 작가.

만드는 효과로 인해 산문 서사에서 찾을 수 있다.

재미있는 이야기를 할 만한 능력도 없는 사람이 이야기의 효과들을 그르쳐 가면서, 다시 말해 연결고리와 리듬을 엉망으로 만들면서 계속 이야기하려고 할 때의 불편함은 누구나 알고 있다. 그러한 불편함은 이야기의 기술에 관한 보카치오의 소설(Ⅵ, 1)에서 되살아난다.

피렌체 귀부인의 시골 별장에 초대된 몇몇 쾌활한 귀부인과 기사들이 저녁 식사를 한 후 근방에 있는 경치 좋은 장소로 산책을 가기로 한다. 보다 즐거운 산책을 위해 기사 한 사람이 이야기를 들려주겠다고 나선다.

> "오레타 부인, 괜찮으시다면 도착할 때까지 세상에서 가장 재미있는 이야기 말[馬]을 태워드리겠습니다."
>
> 부인이 대답했어요. "기사님, 그런 일이라면 오히려 제가 간청드리고 싶은데요. 당신은 아주 친절하시군요."
>
> 그 기사는 검 하나 제대로 휘두르지 못할 뿐 아니라 이야기 솜씨도 형편없었는데 부인의 대답을 듣고 이야기를 시작했죠. 사실 이야기 자체는 아주 재미있었습니다. 하지만 그는 세 번, 네 번, 그리고 여섯 번이나 똑같은 말을 되풀이하는가 하면 뒤로 돌아가기도 하고 가끔씩 "뭐라 해야 할지 잘 모르겠군요"라고 말하거나

종종 이름을 틀리게 말하기도 했으며 전혀 엉뚱한 이름을 대기도 하면서 이야기를 완전히 엉망으로 만들어 버렸답니다. 인물들의 특징이나 벌어진 일에 대한 묘사가 최악인 거야 말할 것도 없었지요.

이야기를 듣는 오레타 부인은 종종 식은땀을 흘렸고 임종을 맞은 환자처럼 숨이 멎을 것 같았어요. 그러다가 기사의 이야기가 벗어날 수 없을 정도로 복잡한 상황에 처한 것을 알고는 더 이상 괴로움을 참을 수 없어 기분 좋게 말했답니다. "기사님, 당신 말은 너무 힘겹게 총총거리는군요. 걸어갈 수 있게 해주시면 정말 고맙겠어요."

이야기는 말[馬]이다. 총총걸음으로 걷든, 달려가든, 자신이 가야 할 길에 따라 걸음걸이를 맞추는 운송 수단이다. 그러나 우리가 말하는 속도는 정신적 속도이다. 보카치오가 열거한 서투른 이야기꾼의 결함은 특히 리듬을 손상시키는 데 있다. 뿐만 아니라 문체에서도 마찬가지인데 등장인물과 행위에 적절한 표현을 사용하지 않기 때문이다. 그러니까 말하자면 신속한 조절, 표현과 생각의 민첩성이 문체의 속성이기 때문이기도 하다.

속도의 상징이며 정신적 속도의 상징이기도 한 말은 문학사 전체를 관통하며, 기술적인 지평에서 우리가 부딪히게 될 고유한 문제들을 예견한다. 정보와 마찬가지로 운송에서도 속도의 시대는 영국 문학사에서 탁월한 에세이 중의 하나로 간주되는 토머스 드 퀸시의 『영국의 우편마차*The English Mail-Coach*』와 함께 시작된다. 드 퀸시는 빠른 속도로 인한 치명적인 충돌을 포함해서, 자동차와 고속도로로 뒤덮인, 오늘날 우리가 알고 있는 세상의 모든 것을 1849년에 이미 모두 이해했다.

드 퀸시는 한밤의 여행을 묘사하는데 그는 몹시 빠른 속도로 달리는 우편마차에, 깊은 잠에 빠진 덩치 큰 마부 옆에 앉아 있다. 기술적으로 완벽한 마차와 의식이 없는 무생물체로 변해버린 마부로 인해 그는 기계같이 틀림없는 정확성에 의지하게 된다. 마약 복용으로 감각이 예민해진 드 퀸시는 말들이 시속 약 20킬로미터로 길 오른쪽으로 달리고 있음을 알아차린다. 그것은 이제 아주 빠르고 매우 튼튼한 우편마차가 아니라 반대쪽에서 맨 먼저 달려올 불행한 마차에게 닥칠 재앙을 의미한다! 실제로 그는 나무가 길게 늘어서서 대성당의 측랑[4] 같은 직선 길 끝에서 젊은 부

4 — 성당의 신자석 옆에 줄지어 늘어선 기둥 바깥에 있는 복도.

부를 태운 허술한 이륜마차 한 대가 시속 약 1.5킬로미터로 달려오는 것을 발견한다. "저들과 저세상 사이에는 모든 인간의 계산을 다 동원해도 1분 30초가량밖에 없다." 드 퀸시가 고함을 지른다. "첫 번째 걸음은 내가 떼어 놓았소. 두 번째는 젊은 양반에게, 세 번째는 하느님에게 달려 있소." 이 몇 초라는 시간에 대한 이야기는 빠른 속도의 경험이 인간 삶의 기본이 된 시대에도 비할 데 없이 탁월하다.

> 곁눈질, 생각, 천사의 날개. 이 가운데 질문과 대답 사이로 끼어들어 그 둘을 나눠 놓을 정도로 빠른 건 무엇일까? 우리는 빛보다 빠른 속도로, 우리를 피하려는 이륜마차에게로 돌진한다.

드 퀸시는 극도로 짧은 순간의 의미를 전달하는 데 성공한다. 그 짧은 순간에는 기술적으로 불가피한 충돌에 대한 계산과 두 마차의 충돌을 피하게 해주는, 그러니까 하느님의 영역에 속하는 불가사의한 힘이 동시에 포함되어 있다.

여기에서 우리에게 흥미로운 주제는 물리적인 속도가 아니라 물리적인 속도와 정신적인 속도의 관계이다. 드 퀸시와 동시대의 이탈리아 시인도 이러한 관계에 관심을 가졌다. 레오파르디는 매우 정적인 생활을 하던 젊은 시절에 보기 드물게 즐거운 순간들을 발견했는데 이를 『지발도네 *Zibaldone*』에 묘사했다. "예를 들면 말들의 속도 혹은 보여진, 혹은 실험된 속도는, 그러니까 그것들이 당신을 태우고 움직일 때 [⋯] 그것 자체만으로도, 다시 말해 활기, 에너지, 힘, 이와 같은 감각의 삶 때문에 아주 즐거운 일이 된다. 속도는 실제로 무한에 대한 생각 같은 것을 불러일으키고 영혼을 고양하며 강화한다."(1821년 10월 27일)

그뒤 몇 달 동안 레오파르디는 『지발도네』에서 속도에 대한 생각을 발전시키고 어떤 지점에 이르러서는 문체에 대해 이야기하기 시작한다. "문체의 신속성과 간결함은 동시에 일어나는 수많은 생각들을 마음에 제시하기 때문에 우리를 기쁘게 한다. 그러니까 그러한 생각들은 신속하게 이어져 동시에 일어나는 것처럼 보이며, 그와 같은 풍부한 생각들 또는 정신적인 이미지들과 감각들로 마음을 흔든다. 신속성은 모두를 포용할 수 없으며 각각을 완벽하게 포용할 수도 없다. 또는 게으르게, 감각을 느끼지 못한 채 존재할 시간도 없다. 시에서 대부분 신속성과 하나가 된 문체의 힘은 이러한 효과를 통해서만 기쁨을 줄 수 있으며 다른 어떤 것으로도 이룰 수 없다. 동시적 생각들이 불러일으키는 흥분은, 홀로 떨어져 있거나 글자 그대로이거나 은유적인 개별 단어에서, 그리고 단어들의 배치와 문장 전환, 또

한 다른 단어나 문장 등을 제거하는 데에서 기인할 수 있다."(1821년 11월 3일)

나는 정신의 속도로서의 말에 대한 은유는 갈릴레오 갈릴레이가 처음으로 사용했다고 생각한다. 『분석자*Il Saggiatore*』에서 수많은 고전을 인용하며 자기 주장의 근거로 삼는 맞수와 논쟁을 벌이면서 이렇게 썼다. "만약 어려운 문제에 관한 논의가 무거운 짐을 옮기는 것과 같아서 한 마리 말보다는 여러 마리 말이 더 많은 밀 자루를 옮길 수 있다면 나는 수많은 논의가 하나의 논의보다 훨씬 더 많은 일을 한다는 데 동의할 것이다. 그러나 논의는 운반과 같은 게 아니라 달리기와 같다. 그리고 베르베르 말 한 마리가 홀스타인 젖소 100마리보다 더 멀리 달린다."(45)

갈릴레이에게 있어 "논의하는 것", "논의"는 추론, 그리고 종종 연역적인 추론을 의미한다. "논의는 달리기와 같다." 이러한 단언은 문체에 대한, 그러니까 사고방식 그리고 문학적 취향으로서의 문체에 대한 갈릴레이의 원칙과 같다. 갈릴레이는 신속성, 민첩한 추론, 경제적인 토론뿐만 아니라 상상력이 풍부한 예시들도 훌륭한 사고를 위한 중요한 자질들이라고 생각한다.

여기에 더해서 갈릴레이는 은유로서의 말, 사고실험에

서의 말에 대한 특별한 애정을 드러낸다. 나는 갈릴레이의 저작들에 나타난 은유에 대한 연구에서 갈릴레이가 말에 대해 언급한 의미 있는 예를 최소 열한 가지 정도 열거했다. 즉 움직임에 대한 이미지, 그러니까 동역학의 실험 도구로서의 이미지와 복합성과 아름다움을 모두 지닌 자연의 형태, 말들이 거의 믿어지지 않을 정도의 시련에 처하거나 어마어마하게 크게 자란다는 가정과 같이 상상력을 불러일으키는 형태에 대한 언급이었다. 또한 추론과 경주를 동일시하며 "논의는 달리기와 같다"라고 말하기도 했다.

『두 체계에 관한 대화*Dialogo dei massimi sistemi*』에서 거론된 사고의 신속함은 사그레도에 의해 의인화된다. 사그레도는 프톨레마이오스적인 심플리초와 코페르니쿠스적인 살비아티의 논쟁에 끼어드는 인물이다. 살비아티와 사그레도는 갈릴레이의 각기 다른 성격의 일면을 보여준다. 살비아티는 꼼꼼하고 엄밀하게 추론하는 사람으로 천천히 그리고 신중하게 주장을 펼친다. 사그레도의 특징은 "아주 빠른 말"과 상상력이 풍부한 정신으로, 증명되지 않은 결론을 끌어내고 극단적인 결과에 이를 때까지 사고를 멈추지 않는다. 예를 들어 지구가 멈춘다면 달 또는 이 세상에 어떤 일이 벌어질지를 가정하는 경우다.

그러나 갈릴레이가 정신적인 속도에 부여하는 가치의

척도를 정의하는 사람은 살비아티가 될 것이다. 그러니까 무엇인가를 거치지 않는 순간적인 추론은, 인간의 정신보다 한없이 우위에 있는, 신의 정신에 속한 것이다. 그러나 인간의 정신은 신에 의해 창조되었기에 가치가 떨어지거나 완전히 무가치한 것으로 여겨져서는 안 된다. 그것은 한걸음 한걸음 앞으로 나가면서 경이로운 것들을 이해하고 탐구하고 완성했다. 이 지점에서 사그레도가 끼어들어 인간의 가장 위대한 발명품인 알파벳에 찬사를 보낸다.(『두 체계에 관한 대화』, 첫째 날의 마지막 부분)

> 놀랄 만한 모든 발명품들에 더해, 장소와 시간상의 거리와 상관없이 다른 어떤 이에게라도 자신의 깊은 생각을 전달할 방법을 찾으려 궁리했던 사람의 정신은 얼마나 탁월한가? 인도에 있는 사람들과 이야기하는 것, 아직 태어나지 않았고 천년, 이천 년 뒤에야 태어날 사람들에게 이야기하는 것은? 그것도 아주 쉽게? 종이에 스무 개의 작은 문자를 다양하게 배열해서.

가벼움에 관한 지난번 강의에서 나는 루크레티우스가 알파벳의 조합에서 손으로 만질 수 없는 물질의 원자구조 모델을 발견했다고 말했다. 오늘 나는 알파벳의 조합에서

("스무 개의 작은 문자를 다양하게 배열") 최고의 의사소통 도구를 발견했던 갈릴레이를 이야기하고 있다. 갈릴레이는 시간과 공간상 멀리 떨어져 있는 사람들 사이의 의사소통에 대해 말한다. 하지만 글쓰기가 빚어내는, 존재하는 또는 존재 가능한 모든 사물들 사이의 즉각적인 의사소통을 여기에 덧붙일 필요가 있다.

이 각각의 강의에서 내가 중요하게 생각하는 가치, 다가올 2000년대에도 유효할 가치를 소개해 달라는 제안에 따라 오늘 나는 이런 가치를 제시하려 한다. 놀랄 만큼 빠르고 광범위하게 퍼진 미디어들이 승리를 거두어 모든 의사소통이 단일하고 동일해져 획일화될 수 있는 시대에 문학의 기능은 각양각색이기 때문에 서로 다른 것들 사이의 의사소통으로, 차이를 줄이는 게 아니라, 문어의 고유한 역할에 따라 차이를 더욱 확보하는 것이다.

기계의 세기는 속도를 측정할 수 있는 가치로 만들었고 속도의 기록은 기계와 인간이 진보해 온 역사를 나타낸다. 그러나 정신적인 속도는 측정될 수 없으며 비교나 경쟁을 허용하지 않으며 그 결과들을 역사적인 관점에서 정리할 수도 없다. 정신적인 속도는 그것 자체로 가치 있으며 거기서 얻을 수 있는 실제 이익이 아니라, 그러한 기쁨에 민감한 사람에게 주어지는 기쁨으로서 가치가 있는 것이다.

빠른 추론이, 오래 깊이 생각한 추론보다 더 훌륭한 것은 당연히 아니다. 오히려 반대이다. 그러나 빠른 추론은 신속함에 내재한 특별한 뭔가를 전달한다.

내 강의의 주제로 선택한 모든 가치는 처음에 말했듯이 반대 가치를 배제하지 않는다. 가벼움에 대한 나의 찬사에 무거움에 대한 존경이 내포되어 있었던 것과 마찬가지로 신속성에 대한 이러한 변명이 지연의 즐거움을 부정하지 않는다. 문학은 시간의 흐름을 늦추기 위해 여러 기교들을 세밀하게 사용한다. 이미 여러 번 말한 내용인데, 이제는 이탈에 관해 이야기할 차례이다.

실생활에서 시간은 우리가 아끼는 재산이다. 문학에서 시간은 느긋하게 거리를 두며 사용할 수 있는 재산이다. 이것은 정해진 목표에 먼저 도달하는 문제가 아니다. 반대로 시간 절약이 좋은 이유는 우리가 시간을 절약하면 할수록 쓸 수 있는 시간도 많아지기 때문이다. 문체와 사고의 신속성은 특히 민첩성, 이동성, 편리함을 의미한다. 이런 특징들은 이탈할 준비가 된 글쓰기, 한 주제에서 다른 주제로 도약하며, 100여 번씩 방향을 놓쳤다가 100여 번을 빙빙 돌고 난 뒤 방향을 되찾을 준비가 된 글쓰기에 관련된다.

로런스 스턴Laurence Sterne의 위대한 창작품은 오로지 이탈로만 이루어진 소설로 디드로가 곧바로 뒤따르게 된다.

탈선 혹은 이탈은 결말을 연기하기 위한 하나의 전략이자 작품의 내적 시간의 확장이며 영원한 도주이다. 그러면 무엇으로부터의 도주인가? 물론 죽음으로부터의 도주라고 이탈리아 작가인 카를로 레비Carlo Levi[5]는 『신사 트리스트럼 섄디의 인생과 생각 이야기』의 서문에서 말한다. 레비가 스턴의 찬미자라고 생각할 사람은 소수일 것이다. 하지만 사실 레비의 비밀은 사회문제를 관찰할 때조차 이탈 정신과 제한이나 한계가 없는 시간 감각을 자신의 글로 가져왔다는 데에 있다.

> 시계는 섄디의 최초의 상징이다.—카를로 레비가 말한다—시계의 영향 아래에서 그는 잉태되었고 불행들이 시작되었다. 불행은 시계가 나타내는 시간과 완전히 한몸이다. 벨리가 말했던 것처럼 죽음은 시계들 속에 숨어 있다. 그리고 개인의 삶, 그 삶의 단편, 분리되고 해체되고 온전함이 결여된 사물의 불행이 숨어 있다. 죽음은 어떤 시간이다. 개체화의 시간, 분리의 시간, 자신의 종말을 향해 굴러가는 추상적인 시간이다. 섄디는 태어나길 원치 않는데 죽길 원하지 않기 때문

5 — 1902~75, 이탈리아 반파시즘 운동을 이끌었던 작가. 대표작 『그리스도는 에볼리에 머물렀다』는 제2차 세계대전 이후 이탈리아 남부 문제를 다룬다.

이다. 모든 수단, 모든 무기는 죽음에서, 그리고 시간에서 자신을 구하는 데 유용하다. 만약 운명적이고 피할 수 없는 두 점 사이의 가장 짧은 선이 직선이라면 이탈은 그것을 길게 연장할 것이다. 그리고 만약 이러한 이탈들이 너무나 복잡하고 얽히고 꼬여 있으며 흔적을 찾을 수도 없을 정도로 빠르게 진행된다면 죽음이 더 이상 우리를 찾지 않게 될지, 시간이 길을 잃을지, 우리가 자꾸 바뀌는 은신처에 숨을 수 있을지 누가 알겠는가.

생각을 하게 만드는 말들이다. 내가 이탈을 좋아하지 않기 때문이다. 나는 직선이 계속 무한하게 뻗어나가 내가 도달할 수 없게 되리라는 희망을 가지고, 직선에 나 자신을 맡기는 것을 좋아한다고 말하고 싶다. 나 자신을 하나의 화살로 내던지고 지평선으로 사라지길 기대하면서 나의 도주의 궤도를 오래 계산하길 좋아한다. 또는 만약 너무 많은 장애물이 내 길을 가로막는다면 가능한 한 가장 짧은 시간 내에 나를 미궁 밖으로 이끌 수 있는 일련의 직선들을 계산하고 싶다.

이미 젊은 시절부터 나는 **천천히 서두르라**Festina lente라는 아주 오래된 라틴어 문장을 좌우명으로 삼았다. 아마도 단어나 개념보다 나를 사로잡았던 것은 암시적인 상징들이었을 것이다. 여러분들은 베네치아의 위대한 인문주의자이자 출판업자 알도 마누초를 기억하고 있을 것이다. 그는 모든 책 표지에 닻을 휘감고 유연하게 헤엄치는 돌고래를 인쇄해서 **천천히 서두르라**라는 좌우명을 상징적으로 보여준다. 강도 높게 지속적으로 진행된 지적인 작업은 에라스뮈스가 주목할 만한 몇몇 글에서 언급했듯이, 출판업자를 상징하는 그런 우아한 그림으로 표현되었다. 하지만 돌고래와 닻은 바다의 이미지를 가진 동종의 세계에 속한다. 그런데 나는 항상 수수께끼처럼 부조화하고 불가사의한 형상들을 결합하는 상징을 좋아했다. 파올로 조비오가 16세기의 다양한 상징들을 모은 책에서 천천히 서두르라를 나비와 게 그림으로 표현했듯이 말이다. 나비와 게는 둘 다 기괴하게 대칭적으로 그려졌는데, 그런 둘 사이에 예상치 못한 조화가 탄생한다.

작가로서 나의 작업은 처음부터 시공간적으로 멀리 떨어져 있는 점들을 포착하고 연결하는, 정신적인 회로의 섬광을 추적하는 것을 목표로 했다. 모험과 동화에 대한 특별한 애정을 품은 채 나는 항상 내적인 에너지와 정신의 움직임에 상응하는 것을 찾았다. 나는 이미지와 움직임에 초점을 맞추었다. 물론 이미지에서 분출되는 움직임이다. 그렇기는 하지만 이런 상상의 흐름이 말이 되지 않는다면 문학적인 결과에 대해 말할 수 없다는 것도 항상 잊지 않고 있었다. 시를 쓰는 시인과 마찬가지로 산문을 쓰는 작가에게 성공이란 만족스러운 언어적 표현을 찾는 데 있다. 이따금 갑작스레 영감이 번득여 그런 일이 일어날 수도 있지만 일반적으로는 아주 적절한 말, 대체 불가능한 단어들로 이루어진 문장, 효과적이고 의미가 풍부한 소리와 개념의 결합을 끈기 있게 탐구한 결과이다. 나는 산문 쓰기와 시 쓰기가 크게 다르지 않다고 확신한다. 두 경우 모두, 글쓰기는 꼭 필요하고 유일하며 치밀하고 간결하며 기억에 남을 만한 표현법을 탐구하는 것이다.

아주 긴 작품에서는 이러한 긴장감을 유지하기 어렵다. 게다가 나는 기질상 짧은 텍스트에서 훨씬 편안함을 느낀다. 내 작품은 대부분 단편소설이다. 예를 들어 공간과 시간에 대한 추상적인 사고에 서사적 형태를 부여하며 『우주만화』와 『티 제로』에서 실험했던 작업은 짧은 시간에 펼쳐지는 단편소설에서만 가능할 것이다. 또한 나는 간결한 서사에 우화와 '짧은 산문시' 중간 정도 되는 작품들도 창작했는데 『보이지 않는 도시들』과 최근의 『팔로마르』가 바로 그런 작품이다. 물론 텍스트의 길고 짧음은 외적인 기준이지만, 내가 말하는 것은 광범위한 서사에서도 성취할 수 있으나 어쨌든 단 한 페이지에 담겨 있는 특별한 밀도이다.

짧은 형식들에 대한 특별한 애정 때문에 나는 이탈리아 문학에만 나타나는 진정한 성향, 즉 작가들에게는 두드러지지 않지만 시인들에게는 풍부했던 그런 성향을 따라갈 수밖에 없다. 시인들은 산문을 쓸 때도 최고의 상상력과 사고가 단 몇 페이지에 담길 수 있는 텍스트를 쓰는 데 최선을 다한다. 다른 문학에서 필적할 만한 책이 없을 정도인 레오파르디의 『도덕적 소품집*Operette morali*』이 바로 그런 사례이다.

미국 문학은 지금까지 살아 있는 단편소설의 빛나는 전통을 가지고 있다. 그뿐 아니라 단편소설 속에 비할 데 없이 귀한 보물이 들어 있다고 말하고 싶다. 그러나 출판계의 분류에 따른 엄격한 장르 구분은—단편소설 또는 장편소설—짧은 형식들이 지닌 다른 가능성들을 배제하고 있다. 그렇기는 해도 월트 휘트먼의 『표본의 나날들*Specimen Days*』로부터 윌리엄 칼로스 윌리엄스의 여러 작품에 이르기까지 위대한 미국 시인들의 산문 작품에서 짧은 형식을 찾아볼 수 있다. 출판 시장의 요구는 맹목적인 집착으로 그것이 새로운 형식 실험을 가로막아서는 안 된다. 여기서 나는 짧은 형식들의 풍요로움을 적극적으로 옹호하고 싶다. 그러한 형식들은 문체와 밀도 있는 내용으로 무엇인가를 추측하게 만들기 때문이다. 나는 폴 발레리의 『테스트 씨와의 하룻밤*Monsieur Teste*』과 그의 에세이들, 프랑시스 퐁주Francis Ponge의 사물에 대한 산문시, 미셸 레리Michel Leiris의 자신에 대한, 그리고 자신의 언어에 대한 탐구, 앙리 미쇼의 아주 짧은 이야기들인 『깃털*Plume*』에 나오는 신비하고 매혹적인 유머에 대해 생각한다.

우리가 아는 최근의 위대한 문학 장르는 짧은 글쓰기의 거장 보르헤스에 의해 창조되었다. 이는 서술자로서의 자신을 창조한 것이며, 쉰 살 무렵까지 에세이에서 픽션으로 옮겨 가지 못하게 그를 가로막았던 장애물을 뛰어넘게 해준 콜럼버스의 달걀이었다. 보르헤스는 자신이 쓰고 싶었던 책이 이미 쓰였다고, 다른 누군가에 의해, 알지 못하는 가상의 작가, 다른 언어, 다른 문화의 작가에 의해 쓰였다고 가정한다. 그리고 이 가상의 책을 묘사하고 요약하고 비평하는 것이다. 이러한 형식으로 쓰인 최초의 독특한 이야기인 「알모타심에로의 접근」이 1940년에 잡지 〈수르*Sur*〉에 발표되었을 때 모두들 정말 인도 작가의 책에 대한 서평으로 생각했다는 일화가 보르헤스 전설의 일부를 이룬다. 마찬가지로 모든 텍스트가 가상의 또는 실제 도서관의 다른 책들을 통해, 그것이 고전이든 풍부한 지식이 담겨 있든 또는 단순히 창작된 것이든, 자신의 공간을 두 배로 혹은 끝없이 확장하는 것을 관찰하는 일이 보르헤스 비평에서 빼놓을 수 없는 부분이다. 내가 강조하고 싶은 것은 보르헤스가 투명하고 절제되고 경쾌한 문체로, 최소한의 막힘도 없이 무한을 향해 자신의 창을 열어 간 방식이다. 간결하고 재빠른 이야기 방식이 어떻게 정확하고 구체적인 언어로 이어지는지를 주목하는 것이다. 언어의 독창성은 다양한 리듬, 통사적 전개, 언제나 의외인 놀라운 형용사들에서 엿보인다. 보르헤스와 더불어, 자신을 제곱으로 만든 문학, 그와 동시에 자신의 제곱근을 추출한 것과 같은 문학이 탄생한다. 후에 프랑스에서 사용할 용어로는 '잠재태 문학'이지만 그에 대한 예고는 이미 보르헤스의 『픽션들』에서, 허버트 쾌인이라는 가상의 작가가 썼을 수도 있을 작품들의 암시와 방식에서 찾을 수 있다.

간결함은 내가 다루고자 하는 주제의 일부일 뿐이다. 그래서 나는 짧은 풍자시로 표현할 수 있는 거대한 우주론, 사가, 서사시를 꿈꾼다는 것만 여러분에게 이야기하려 한다. 우리를 기다리고 있는 점점 더 복잡해지는 시기에 문학은 시와 사고思考에 최대한 집중할 필요가 있을 것이다.

보르헤스와 아돌포 비오이 카사레스는 『짧고 특이한 소설』 선집을 공동 작업했다. 나는 가능하다면 단 한 문장

또는 단 한 줄로 이루어진 이야기 선집을 만들고 싶다. 그러나 지금까지 과테말라의 작가 아우구스토 몬테로소의 짧은 이야기 『그가 잠에서 깼을 때 공룡은 여전히 거기 있었다 *Cuando despertò, el dinosaurio todavìa estaba allì*』를 뛰어넘은 작가를 한 명도 발견하지 못했다.

눈에 보이지 않는 연관성을 바탕으로 한 이 강의가 여러 방향으로 뻗어 나가 이리저리 흩어져버릴 위험에 처했다는 것을 알고 있다. 그러나 오늘 저녁 내가 다룬 모든 주제는, 어쩌면 지난번 강의의 주제들까지, 내가 특별히 숭배하는 올림포스의 신의 상징 아래 있기 때문에 통합될 수 있을 것이다. 그 신은 의사소통과 중재의 신인 헤르메스-메르쿠리우스[6]로, 문자를 발명한 신 토트와 동일시된다. 또 카를 융의 연금술적 상징에 대한 연구에 따르면, "메르쿠리우스 정신"으로 개성화의 원리principium individuationis를 나타내기도 한다.

발에 날개가 달려 있고 공기처럼 가볍고 영리하고 민첩하고 융통성 있으며 자유분방한 메르쿠리우스는 신들, 신과 인간, 우주적인 법칙과 개별 사례들, 자연적인 힘과 문화적인 형식, 세상의 모든 물체들, 생각하는 모든 주체들의

6 — 그리스 신화의 헤르메스가 로마 신화에서는 메르쿠리우스이다.

관계를 설정한다. 나의 문학적 제안을 위해 내가 선택할 수 있는 최상의 지원군은 누구일까?

심리와 점성술이, 기질, 성질, 행성, 별자리 들이 상응하여 소우주와 대우주가 서로를 반영하던 고대에 메르쿠리우스의 위치는 가장 불안정하고 변화무쌍하다. 하지만 널리 퍼진 일반적인 생각에 따르면, 교역과 상업에 능하고 기민한 메르쿠리우스에게 영향을 받은 기질과 우울하고 사색적이며 고독한 사투르누스에게 영향을 받은 기질은 서로 반대이다. 고대부터 예술가, 시인, 사상가는 사투르누스적 기질을 가진 사람들로 생각되어 왔다. 내가 보기에 실제로 그러한 특징을 띠는 것 같다. 물론 인간 대부분이 내향적인 성향이 강하며, 세상에 대한 불만을 지니기도 하고, 소리 없는 부동의 언어에 시선을 고정시키며 시간과 나날을 잊는 성향이 없었다면 문학은 존재하지 않았을 것이다. 물론 내 성격도 내가 속한 범주의 전통적인 성격과 일치한다. 나 역시 언제나 사투르누스적인 인간이었다. 다른 가면을 써보려 애썼지만 말이다. 나는 메르쿠리우스를 숭배하지만 이는 어쩌면 그저 하나의 열망, 그렇게 되고 싶다는 바람일 뿐인지도 모른다. 나는 메르쿠리우스적 인간이 되고 싶은 사투르누스적 인간이다. 그래서 내가 쓴 모든 글에서는 이 두 가지 자극의 영향을 느낄 수 있다.

그러나 사투르누스-크로노스[7]가 내게 자신의 힘을 행사한다 하더라도 그 신에게 완전히 마음을 쏟은 적이 없었던 것도 사실이다. 나는 그에게 경외심 이외의 감정은 가져본 적이 없었다. 대신 내가 많은 애정을 느끼는 신은 사투르누스와 유사하며 친족 관계에 있는 다른 신이다. 고대 하늘의 일곱 개의 행성[8] 가운데에 속하지 못했기 때문에 사투르누스와 같은 점성술적인, 그러니까 심리적인 명성은 누리지 못했지만 호메로스 시대부터 큰 문학적 행운을 누렸던 신이다. 내가 말하려는 신은 불카누스-헤파이스토스[9]이다. 하늘에서 자유로이 활동하는 게 아니라 분화구 아래, 대장간에 틀어박혀 지칠 줄 모르고 정교하게 완성해 가는 물건들, 신들을 위한 보석과 장신구, 무기, 방패, 그물, 덫 등을 만들던 신 말이다. 공기처럼 가볍게 날아다니는 메르쿠리우스와는 대조적으로 불카누스는 절룩이며 걷고 망치로 두드린다.

여기서도 나는 내가 우연히 읽은 책을 언급해야만 한다. 때로 엄격한 학문적 관점에서 보면 특이하고 분류하기 어려워 보이는 책들을 읽을 때 선명한 생각들이 떠오르기

7 — 그리스 신화의 크로노스가 로마 신화의 사투르누스이다.

8 — 태양과 달, 수성, 금성, 화성, 목성, 토성을 가리킨다.

9 — 그리스 신화의 헤파이스토스가 로마 신화에서는 불카누스이다.

도 한다. 그 책은 내가 타로 카드의 상징을 공부할 때 읽었던 앙드레 비렐*André Virel*의 『우리 이미지의 역사*Histoire de notre image*』(1965)이다. 융 학파의—내 생각에—집단적 상상력을 연구하는 저자에 따르면 메르쿠리우스와 불카누스는 떼려야 뗄 수 없고 상호보완적인 삶의 두 가지 기능을 나타낸다. 메르쿠리우스는 조화, 다시 말해 우리 주위 세상에 대한 참여를, 불카누스는 집중, 다시 말해 건설적인 집중을 나타낸다. 메르쿠리우스와 불카누스 둘 다 유피테르의 자식이다. 유피테르의 왕국은 개인화되고 사회화된 의식意識의 왕국이다. 그런데 메르쿠리우스의 어머니는 우라노스의 혈통이다. 우라노스의 왕국은 획일적인 연속성을 지닌 "순환하는" 시간의 왕국이다. 한편 불카누스는 사투르누스의 혈통인데 사투르누스의 왕국은 자기중심적인 고립을 의미하는 "정신분열적" 시간의 왕국이다. 사투르누스는 우라노스를 내몰았고 유피테르는 사투르누스를 내몰았다. 마침내 균형 잡힌 눈부신 유피테르의 왕국에서 메르쿠리우스와 불카누스는 각각 어두웠던 원시 왕국의 기억을 간직한 채, 파괴적인 질병을 조화와 집중이라는 긍정적인 두 개의 특질로 변화시킨다.

대립하면서도 상호보완적인 메르쿠리우스와 불카누스에 대한 이런 설명을 읽고 난 뒤로 나는 비로소 막연하게

만 느껴 왔던 무엇인가를 이해하게 되었다. 나에 대한, 내가 어떤 사람이고 어떤 사람이 되고 싶은지에 대한, 어떤 글을 쓰고 어떻게 글을 쓸 수 있을지에 대한 무엇인가를. 불카누스의 집중력과 장인다운 솜씨는 메르쿠리우스의 모험과 변신을 글로 쓸 때의 필요조건이다. 메르쿠리우스의 이동성과 신속성은 불카누스의 끝없는 노동의 의미를 전달하는 데 필요조건이다. 그리고 볼품없는 광물들이 신들의 특징을 나타내는 리라나 삼지창, 검이나 왕관으로 새롭게 탄생하는 데 필요하기도 하다. 작가가 글을 쓸 때는 다양한 시간들을 고려해야 한다. 메르쿠리우스의 시간과 불카누스의 시간, 끈기 있고 세심한 조절을 통해 즉각 얻어지는 메시지, 형성되자마자 다른 무엇으로도 대체될 수 없게 결정적인 형태를 취하는 순간적인 직관, 아무 목적 없이 흘러가서 감정과 생각 들이 제자리를 잡고 성숙해지며 성급함과 일시적인 모든 우연성과 거리를 두게 내버려 두는 시간 같은 것들 말이다.

나는 이야기 하나를 들려주면서 이 강의를 시작했는데 다른 이야기로 마치려 한다. 중국에서 전해지는 고사이다.

여러 가지 뛰어난 능력을 가진 장자莊子는 그림 실력도 탁월했다. 왕은 그에게 게 그림을 그리라고 명했다. 장자는 5년의 시간과 열두 명의 하인이 딸린 집이 필요하다고 말했다. 5년이 지났지만 그림은 시작도 되지 않았다. "5년이 더 필요합니다." 장자가 말했다. 왕은 5년의 기한을 더 주었다. 10년이 다 되어 갈 무렵 장자가 붓을 잡았다. 그리고 순식간에 단 한 번의 동작으로 게를 그렸다. 세상에서 찾아볼 수 없는 완벽한 게 그림이었다.

3강

정확성

Esattezza

고대 이집트인들에게 정확성은 영혼의 무게를 다는 저울의 추로 썼던 깃털로 상징되었다. 그 가벼운 깃털은 마아트Maat, 곧 저울의 여신으로 불렸다. 마아트를 가리키는 상형문자는 길이의 단위, 즉 표준 벽돌의 길이 33센티미터를 나타내기도 했고 플루트의 기본음을 가리키기도 했다.

이러한 정보는 고대인들이 하늘의 현상을 관찰할 때 보였던 정확성에 관한 조르조 데 산틸라나Giorgio de Santillana의 강연에서 나왔다. 나는 1963년 이탈리아에서 그 강연을 듣고 아주 깊은 감명을 받았다. 나는 요즘 산틸라나에 대해 자주 생각하는데, 내가 1960년에 처음으로 미국을 방문했을 때 매사추세츠에서 나를 안내한 사람이 바로 그였기 때문이다. 그와의 우정을 기념하는 의미로 나는 저울의 여신 마아트의 이름으로 문학에서의 정확성에 관한 강의를 시작하려 한다. 천칭자리가 바로 나의 십이궁 별자리여서 더더욱 그렇기도 하다.

먼저 오늘 강의의 주제를 정의해보겠다. 내게 정확성이란 특히 다음 세 가지를 의미한다.

1) 정확하게 정의되고 잘 계산된 작품의 설계.

2) 분명하고 예리하고 기억에 남을 만한 가시적 이미지들의 환기. 이탈리아어에는 영어에는 없는 형용사가 하나 있는데, 바로 그리스어 에이카스티코스εἰκαστικός에서 유

래한 '이카스티코'icastico(생생한)라는 형용사이다.

3) 가능하다면 사전처럼 그리고 생각과 이미지의 풍부한 명암처럼 정확한 언어.

무엇 때문에 나는 모든 이들이 자명하게 받아들일 것 같은 가치들을 변호할 필요성을 느끼게 되었을까? 최초의 충동은 나의 신경과민 혹은 알레르기에서 기인한다고 믿고 있다. 언어는 언제나 대충, 우발적으로, 경솔하게 사용된 것 같았으며, 나는 그런 사실에서 참을 수 없는 불쾌감을 맛보았다. 이러한 반응이 주위 사람들에게 너그럽지 못한 과민함에서 기인했다고 생각하지 않길 바란다. 더 심한 불쾌감은 나 자신이 하는 말을 들을 때 온다. 이 때문에 나는 될 수 있으면 말을 적게 하려고 애쓰는데, 내가 글쓰기를 좋아한다면 아마도 글을 쓸 때는 내 언어에 만족할 상태는 못 되더라도 적어도 내가 신경 쓰고 있는 불만족스러운 요인들을 제거할 수 있을 때까지 모든 문장을 필요한 만큼 고칠 수 있기 때문이리라. 문학은—내가 말하는 문학은 그러한 요구 조건에 부합하는 문학이다—언어가 진실로 보여야 할 본래 모습을 되찾게 되는 약속의 땅이다.

때로는 인간의 특징을 무엇보다 잘 드러내는 인간의 능력, 곧 언어 사용 능력이 페스트에 걸린 것처럼 보이기도 한다. 이 언어의 페스트는 인지력과 즉시성의 상실로 나타나며, 표현을 더욱더 개괄적이고 익명적이고 추상적인 문구로 평준화해버리고, 의미를 희석하고, 예리한 표현들을 무디게 만들고, 새로운 환경과 언어가 충돌할 때 발산되는 불꽃을 모두 꺼버리는 경향이 있는 무의식적인 자동 행위로 드러난다.

이러한 유행성 전염병의 근원을 정치에서, 이데올로기에서, 관료주의적 획일성에서, 매스미디어의 천편일률성에서, 학교에 확산된 평준화 문화에서 찾아야 할지 자문해보는 일에는 흥미가 없다. 내게 흥미 있는 것은 건강해질 수 있는 가능성이다. 문학은 (어쩌면 문학만이) 확산하고 있는 언어 페스트와 싸울 수 있는 항체를 만들어낼 것이다.

여기서 덧붙이고 싶은 것은, 내가 보기에 페스트에 걸린 것은 언어만이 아니라는 사실이다. 예를 들면, 이미지도 마찬가지이다. 우리는 끊임없는 이미지의 홍수 속에서 살고 있다. 가장 강력한 미디어들은 세계를 이미지들로 변화시킬 뿐만 아니라 그것을 거울 놀이의 환각을 통해 증대한다. 모든 이미지를 형식과 의미로서, 주의를 기울이게 하는 힘으로서, 가능한 의미들의 풍부한 원천으로서 특징지워야 할 내적 필연성이 그러한 이미지들 대부분에는 박탈되어 있다. 구름과 같은 이런 이미지들 대부분은 마치 기억 속에 흔적을 남기지 않는 꿈처럼 금방 사라져버린다. 하지만 이

질감과 불쾌감까지 사라지는 것은 아니다.

그러나 어쩌면 불일치는 이미지나 언어에만 있지 않을 것이다. 불일치는 모든 세계에 있다. 페스트는 개인의 삶에도 국가의 역사에도 타격을 주며 모든 역사를 무형으로, 우연으로, 혼돈으로, 시작도 끝도 없는 것으로 되돌려 놓는다. 나의 불쾌감은 내가 삶에서 인식하고 있는 형식을 잃어버린 데서 비롯한다. 그래서 나는 궁리해낼 수 있는 유일한 방어책, 곧 문학의 이념을 통해 이런 현실에 대항해보려 한다.

그렇기 때문에 나는 내가 옹호하고자 하는 가치를 부정적인 방식으로도 규정할 수 있다. 같은 정도의 설득력 있는 논거를 가지고 정반대의 논제도 변호할 수는 없는지 살펴보는 일이 남아 있다. 예를 들면, 레오파르디는 모호하고 애매한 언어일수록 더욱 시적이라고 주장했다.

(여담이지만 이탈리아어는—내가 믿기로는—'vago'(모호한)라는 형용사가 '우아한', '매력적인'을 의미하기도 하는 유일한 언어라는 사실에 주목하고 싶다. 본래 의미—wandering(헤매는)—에서 'vago'는 움직임과 불안정의 관념이 있는데, 이탈리아어에서 이 말은 우아함, 유쾌함과 결부될 뿐만 아니라 불확실함, 무한함과도 결부된다.)

정확성에 대한 나의 숭배를 시험해보기 위해 'vago'를 예찬한 레오파르디의 『지발도네』 몇 구절을 다시 읽어보려고 한다.

레오파르디는 이렇게 말한다. "lontano(멀리 떨어진), antico(옛날의) 그리고 이와 비슷한 말들은 아주 시적이며 유쾌한데 광대하고 무한한 생각들을 일깨우기 때문이다…."(1821년 9월 25일) "notte(밤), notturno(밤의) 등의 말들, 밤에 대한 묘사들은 아주 시적인데, 밤이 물체들을 뒤섞어 놓아서 모호한, 불명료한, 불완전한 이미지들만을 영혼이 감지할 수 있기 때문이다. oscurità(어두움), profondo(깊은) 같은 말들도 마찬가지이다."(1821년 9월 28일)

레오파르디의 추론은 그의 시를 통해 완벽하게 예증되는데, 시는 그의 추론이 사실로 입증된 것이라는 권위를 부여한다. 나는 모호함에 대한 그의 열정을 증명할 만한 예를 찾기 위해 『지발도네』의 책장들을 계속 넘긴다. 그러다가 보통보다 훨씬 긴 주석을, '무한'의 영혼 상태에 알맞은 조건들을 열거한 목록을 발견하게 된다.

> … 태양과 달의 모습은 보이지 않고 그 빛의 근원도 알 수 없는 곳에서 본 햇빛이나 달빛; 그러한 빛으로 일부만 비춰진 어떤 장소; 앞에서 말한 빛의 반사와 거기에서 파생되는 다양한 물리적 효과들; 앞에서 말한 빛이 불분명하고 가로막히고 식별하기 힘들게 되는 장소로

침투하기, 그러니까 갈대밭, 밀림 속, 닫힌 발코니 같은 곳으로 스며들기; 앞에서 말한 빛이 들어갈 수 없고 직접 부딪힐 수 없는 장소, 물체 등에서 보는 빛으로서 빛이 닿는 다른 어떤 장소나 물체 등에 의해 재반사되거나 퍼져 나가는 빛; 안에서 혹은 밖에서 바라보는 현관, 그것과 같은 모양의 로지아[1] 같은 장소에서와 같이 빛이 그림자와 뒤섞인다든지 하는 곳, 곧 주랑 밑, 높다란 로지아 내부, 암벽 사이와 협곡 사이, 계곡 안, 꼭대기가 금빛으로 빛나 보이는 어두운 쪽에서 바라보는 언덕 위; 예컨대 색유리를 통과하는 광선들이 물체들에 비침으로써 생기는 반사광; 한마디로 다양한 재료와 미세한 상황을 통해 불확실하게, 뚜렷하지 않게, 완성되지 않은 상태로, 불완전하게, 혹은 비정상적으로 우리의 시각, 청각 등에 도달하는 모든 대상들.

그러니까 바로 여기서 레오파르디는 우리로 하여금 불명료함과 모호함의 아름다움을 맛보게 하기 위해 뭔가를 요구하고 있다! 모든 이미지를 조합하는 데서, 세부 사항들을 세밀하게 정의하는 데서, 원하는 모호함에 도달하기 위

1 — 한쪽에 벽이 없는 복도 모양의 방.

해 사물, 밝기, 분위기를 선택하는 데서 그가 요구하는 것은 극도로 정확하고 세심한 주의력이다. 따라서 내가 정확성을 변호하는 데서 가장 이상적인 반론자로 선택했던 레오파르디가 오히려 내 편에 유리한 결정적인 증언자로 밝혀진다…. 눈과 귀, 기민하고 틀림없는 손으로 가장 섬세한 느낌을 포착할 수 있는 정확함의 시인만이 모호함의 시인이 될 수 있다. 『지발도네』의 이 주석은 끝까지 계속 읽을 가치가 있다. 불명확한 것의 탐구는 다종다양한 것, 군집을 이루는 것, 미세한 분말 같은 종류를 관찰하는 일이 된다….

> 아주 유쾌하고 감상적인 것은 도시에서 바라보는 바로 그 빛인데, 거기에서는 빛이 그림자에 의해 톱니 모양으로 부서지며, 어둠이 여러 장소에서 밝음과 대립하며, 지붕과 같은 곳들에서는 빛이 서서히 희미해지며, 은밀한 몇몇 장소에서는 빛나는 별들을 볼 수가 없다. 다양성, 불확실성, 모든 것을 볼 수는 없다는 것, 보이지 않는 것에 관해 상상력을 발휘해 자유롭게 공상할 수 있다는 것이 그러한 기쁨에 한몫 거든다. 나무들, 가로수들, 언덕들, 페르골라[2]들, 오두막들, 건초 더미들,

2 — 덩굴을 지붕처럼 올린 정자 또는 작은 길.

기복이 심한 시골의 땅들이 만들어내는 비슷한 효과들에 대해서도 그렇게 말하고 싶다. 이와는 반대로 광대한 평야에서 빛은 장애물이 없기에 변화도 없이 넓게 퍼진다. 시선이 사라지는 곳 역시 무척 유쾌한 장소인데 그런 광경을 보면 무한정한 연장의 관념이 생겨날 수 있기 때문이다. 구름 한 점 없는 하늘이 그와 같은 경우이다. 그런 점에서 다양성과 불확실성의 즐거움은 명백한 무한정성, 무한한 단일성에서 나오는 즐거움보다 우위에 있다는 사실에 주목한다. 그러므로 작은 구름들이 여러 모양으로 흩어져 있는 하늘은 어쩌면 구름 한점 없는 맑은 하늘보다 더 즐거움을 줄 수 있다. 하늘의 모습에서는 대지와 전원의 광경보다는 호감을 덜 느낄 수도 있다. 그것은 대지나 전원보다 다양하게 변하지 못하기 때문이다(그리고 또 우리와 비슷한 점도 적고 우리의 특성과 동떨어져 있고 우리들의 일과 그다지 관계가 없기 때문이다). 실제로 당신들은 대지와 분리된 하늘 이외에는 아무것도 보이지 않게 뒤로 누워본 적이 있을 것이다. 당신들은 들녘을 바라보거나, 대지와 호응하고 관계하는 하늘을 볼 때, 같은 관점으로 대지와 하나가 된 하늘을 바라볼 때와 같은 유쾌함을 맛볼 수 없으리라.

위에서 말한 이유들 때문에 별들이나 사람들처럼 헤아릴 수 없는 다수, 다양한, 불확실한, 복잡한, 불규칙적인, 어수선한 움직임, 군중이나 수많은 개미들의 동요 혹은 거친 바다 등의 요동처럼 영혼이 명확하고 뚜렷하게 제한할 수도 이해할 수도 없는 막연한 동요를 관찰하는 것 역시 아주 즐거운 일이다. 불규칙적으로 뒤섞여 있어 서로 구별할 수 없는 다수의 소리 등도 마찬가지이다. (1821년 9월 20일)

여기서 레오파르디 시학의 핵심 하나에, 그의 서정시 가운데 가장 아름답고 널리 알려진 「무한*L'infinito*」의 핵심에 접근해보도록 하자. 관목 울타리에 둘러싸여 하늘밖에 볼 수 없는 시인은 무한한 공간들을 상상할 수 있는 기쁨과 두려움을 맛본다. 이 시는 1819년에 나왔다. 여러분에게 읽어주었던 『지발도네』의 주석들은 이 시보다 2년 뒤에 나왔는데, 이것은 레오파르디가 「무한」을 쓸 때 자신에게 생겨난 문제들을 계속 숙고해 왔음을 보여준다. 그의 숙고에서는 불명확한indefinito과 무한한infinito이라는 두 용어가 계속해서 대비되고 있다. 레오파르디 같은 불행한 쾌락주의자에게 무명無名은 유명有名보다 훨씬 더 매력적이며, 희망과 상상력만이 경험에서 비롯된 절망과 고통을 위로해줄 수 있다. 그러므로 사람은 자기 욕망을 무한에 투영하며, 그 욕망이 무한하다는 사실을 상상할 수 있을 때에만 기쁨을 맛본다. 그러나 인간의 정신은 무한을 지각할 수 없을 뿐만 아니라 그런 생각만으로도 놀라 몸이 움츠러들기에 불명확한 것에, 서로 뒤섞이면서 무제한의 인상을 불러일으키는, 현혹하지만 어쨌든 기분좋은 감각들에 만족할 수밖에 없다. "그리하여 이 무한의 바다에서 조난을 당하여도 내게는 달콤할 뿐이니." 달콤함이 무서움을 이기는 것은 「무한」의 이 유명한 마지막 행에서만 일어나는 일이 아니다. 언어의 음악을 통해 시행들이 전달하고자 하는 것은 언제나 달콤함의 감각이기 때문이다. 이는 심한 고통의 경험들을 설명할 때에도 마찬가지이다.

레오파르디가 18세기 감각론의 추종자로서 자기 자신에 대해서 만들어 보이려고 하는 이미지를 내가 받아들이기나 한 것처럼, 지금 나는 그를 감각의 용어로만 해석하고 있음을 깨닫게 된다. 사실 레오파르디가 직면한 문제는 명상적이고 형이상학적인 것으로서 파르메니데스에서 데카르트, 칸트에 이르는 철학사를 지배해 온 문제이다. 절대적인 시간과 공간으로서 존재하는 무한의 관념과 시간과 공간에 대한 우리의 경험적인 인식의 관계이다. 그래서 레오파르디는 공간과 시간에 대한 수학적 관념의 엄밀한 추상에서 출발하여 관념을 불명확함, 감각들의 모호한 파동과 대비시킨다.

정확성과 불명확성은 로베르트 무질의 무한하고 완성되지 않은 소설『특성 없는 남자』에서 울리히의 철학적-반어적 추측들이 오가는 양극이기도 하다.

> … 이제, 관찰한 요소가 정확성 그 자체라면, 해당 요소를 떼어내어 그것이 스스로 발전해 나가도록 한다면, 그리고 그것을 사고의 습관과 삶의 태도로 보고, 그것이 자신과 관계하는 모든 것에 규범이 되는 영향력을 미치도록 한다면, 정확성과 불확정성이 역설적으로 결합되어 있는 한 남자에게 이르게 된다. 그는 정확성의 기질을 나타내는 흔들리지 않는, 꾸민 듯한 냉담성을 지니고 있다. 하지만 그러한 특성을 넘어서면 다른 모든 것은 불명확하다. (I권 II부 61장)

무질이 해답의 제시에 더욱더 가까이 접근하는 순간은 바로 "일반 해답을 인정하기보다는 오히려 조합됨으로써 일반 해답에 근접하게 되는 개별 해답들만을 인정하는 수학 문제들"(83장)이 존재한다는 것을 떠올리고 이런 방법을 인간의 삶에도 적용할 수 있다고 생각할 때이다. 여러 해 뒤에, 정확성의 영혼과 감수성의 영혼이 공존하는 정신의 소유자인 롤랑 바르트는 유일한 것과 반복할 수 없는 것의 과학을 구상할 수 있지 않을까 하고 자문한다(『밝은 방』). "어떤 의미에서 모든 개별 사물을 위한 새로운 과학이 왜 존재할 수 없는 것일까? 보편학Mathesis universalis이 아니라 개별학Mathesis singularis이 말이다."

울리히가 정확함을 향한 열정이 맞이할 수밖에 없는 패배를 곧바로 인정해버렸다면, 폴 발레리가 창조해낸 20세기의 또 다른 위대한 지성 테스트 씨[3]는 인간의 정신이 보다 정확하고 엄밀한 방식으로 발휘될 것이라는 사실에 조금도 의심을 품지 않는다. 그리고 삶의 고통을 노래하는 시인 레오파르디가 기쁨을 주는 불명확한 감각들을 표현할 때 최대한의 정확성을 증명해 보였다면, 무감각하고 엄밀한 정신을 소유한 발레리는 자신의 주인공 테스트를 고통과 마주하게 하고 기하학적 추상 개념을 연습함으로써 물리적인 고통을 물리치게 하여 최대한의 정확성을 증명해 보인다.

3 — 발레리의 소설 「테스트 씨」에 나오는 인물.

"내가 가진 건 뭘까요?" 그는 말했다. "… 그렇게 많지 않아요. 내가 가진 것은 보일 수 있는 10분의 1초이죠… 잠깐만요… 내 몸이 빛나는 순간들이 있어요… 아주 흥미로운 일이지요… 갑자기 나는 나 자신의 모습을 볼 수 있게 되지요… 내 육체의 분명한 층들의 깊이를 식별하게 되죠. 그래서 나는 고통의 구역들, 고통의 고리, 극점, 깃털 들을 느낄 수 있죠. 이렇게 생생한 모습들을 보셨나요? 기하학적인 내 고통들을 보셨나요? 섬광과도 같은 사고들도 있지요. 그것들은 여기서 저기까지 이해할 수 있게 해줍니다. 그럼에도 불구하고 나를 불확실하게 내버려 두죠. 불확실하다는 것은 정확한 말이 아닙니다… 어떤 것이 막 만들어지려 할 때 난 바로 나의 내면에서 혼란스러운 어떤 것 혹은 산만한 어떤 것과 마주치게 됩니다. 내 존재 속에서 안개에 덮인… 어떤 장소들이 만들어지고, 그것들은 평탄해 보입니다. 그때 나는 기억 속에서 의문점, 어떤 문제 하나를 끄집어냅니다… 그러고는 그 문제에 골몰하게 됩니다. 모래알 하나하나를 세고 그것들을 보는 동안은… 나의 고통은 점점 자라나서 나의 모든 주의력을 필요로 하게 되죠. 난 그것을 놓고 생각합니다! — 내 신음 소리만을 기다립니다… 그 소리를 듣고 나서는—대상, 무시무시한 대상은 점점 더 작아져 내적인 나의 시야에서 달아나버리고 맙니다…."

발레리는, 시가 정확성을 향한 긴장이라는, 실로 뛰어난 정의를 내린 바 있는 금세기의 인물이다. 무엇보다 나는 말라르메에서 보들레르, 그리고 에드거 앨런 포로 연결되는 선에서 정확성의 시학을 더듬어볼 수 있는 그의 비평이나 논문 들을 언급하려 한다.

발레리는 포에게서, 보들레르와 말라르메에게 비친 포에게서 "명석함의 귀재, 분석의 천재, 가장 새롭고 가장 매혹적으로 논리와 상상을, 신비와 계산을 결합하는 고안자, 독특한 심리학자, 예술의 모든 자원을 깊이 탐구하고 이용한 문학 기술자"의 면모를 발견했다.

위의 문장은 발레리의 논문 「보들레르의 상황*Situation de Baudelaire*」에 실렸는데, 이 논문은 포와 우주기원론, 곧 『유레카 *Eureka*』에 관한 논문과 함께 내게는 시학의 선언서 같은 의미가 있다.

발레리는 포의 『유레카』에 관한 논문에서 과학적 사변보다는 오히려 문학 장르에 가까운 우주기원론에 의문을 품으며, 우주의 관념에 대해 기발한 반론을 펼치는데, 이 반론은 우주의 모든 이미지 내에 있는 신화적인 힘에 대한 재

확인이기도 하다. 레오파르디에서처럼 여기서도 무한에 대한 끌림과 반감이 존재한다. 여기서도 레오파르디가 자신의 몇몇 "경외서經外書[4]적인" 산문에서, 곧 『람사코스의 스트라톤의 경외서적 단편*Frammento apocrifo di Stratone da Lampsaco*』이나 탈무드적이고 경외서적인 『들닭의 노래*Cantico di gallo silvestre*』에서 즐겨 했던, 문학 장르로서의 우주론적 추측들이 있다. 『람사코스의 스트라톤의 경외서적 단편』은 지구가 탄생하여 편평해지다가 토성의 고리처럼 구멍이 뚫리고 분산되어 태양에 의해 불타버리는 종말에 관한 글이며, 『들닭의 노래』에서는 전 우주가 멈추어 서고 사라져버린다. "숨김없이 드러난 침묵, 고도의 정적만이 거대한 공간을 가득 메운다. 그래서 우주적 존재의 경이롭고 무시무시하며 놀라운 신비는 세상에 널리 알려지기도 전에, 이해도 되기 전에 흩어질 것이며 사라져버릴 것이다." 이 단편은 무시무시하고 불가해한 것은 무한한 공간이 아니라 존재라는 사실을 보여주고 있다.

이 강의는 지금 내가 의도했던 방향으로 진행되고 있지 않다. 나는 무한과 우주가 아니라 정확성을 이야기하려고 이

4 — 전거가 확실치 않아 개신교 성경에는 수록되지 않은 30여 편의 문헌. 외경이라고도 한다.

강의를 시작했다. 난 여러분에게 기하학적인 형태, 대칭, 급수, 조합, 수적인 비례를 내가 얼마나 편애하는지 이야기하고 싶었고, 한계와 척도의 개념에 대한 신뢰를 열쇠로 하여 썼던 글들을 설명하고 싶었다…. 하지만 끝이 없는 것들, 그러니까 정수들의 급수, 유클리드의 직선 들에 대한 관념을 불러일으킨 것은 바로 그런 생각들이었는지도 모른다. 어쩌면 내가 그동안 어떻게 글을 써 왔는지를 이야기하기보다는 오히려 내가 아직 풀지 못했고 어떻게 풀어야 할지 모르는 문제들과 나를 글쓰기로 이끌어 가는 것에 대해 이야기하는 편이 훨씬 흥미로울지도 모른다. 때로 나는 쓰고자 하는 이야기에 전념해보려고 애쓰다가 정작 관심을 가지고 있는 대상은 다른 것, 혹은 정확한 게 아니라 내가 써야 할 주제에서 배제된 모든 것이라는 사실을 알아차리게 된다. 결정된 주제와 이 주제를 변형하고 대체할 수 있는 모든 가능성, 시간과 공간이 내포하는 사건들의 관계라는 사실을 깨닫는다. 이것은 충분히 나를 가로막고도 남을 만한 탐욕스럽고 파괴적인 강박관념이다. 이러한 강박관념과 싸우기 위해 난 말해야 하는 것의 범위를 제한하고, 그것을 보다 더 제한된 영역들로 분할한 다음 다시 더 분할해보려고 애쓴다. 그러면 다른 현기증, 세부를 또 세분화하고 그것을 다시 세분화하는 데서 오는 현기증이 나를 사로잡고 난 처음에는 끝없는 광대함 속에서 나 자신이 흩어져버렸듯이, 이제 무한소, 끝없이 작은 것에 빨려 들어가버린다.

"선한 신은 세부 속에 있다"라는 플로베르의 주장을 위대한 몽상적 우주론자였던 조르다노 브루노의 철학에 비춰 설명해보려고 한다. 브루노는 무한하며 헤아릴 수 없는 세상들로 구성된 우주를 보았지만 이 우주가 "완전히 무한한" 것이라고 말할 수 없었다. 개별 세상들이 유한하기 때문이다. 한편 "완전히 무한한" 것은 신인데 "그의 전부가 모든 세상 속에, 그리고 무한하고 완전하게 세상의 각 부분 속에 들어 있기 때문이다."

요 근래 몇 번씩 읽고 또 읽고 깊이 생각했던 신간들 가운데는 파올로 젤리니의 『무한에 관한 개략적 역사*Breve storia dell'infinito*』(Adelphi, 1980)가 있다. 이 책은 무한을 "다른 모든 것을 부식시키고 변질시키는 개념"이라고 보는 보르헤스의 유명한 독설로 시작되며 주제에 관한 모든 논증을 검토해 나감으로써 고밀도의 무한소 속에서 무한의 연장을 용해하고 전복해버린다.

문학 창작의 형식 선택과 우주론적 모델(혹은 보편적인 신화 구도)의 필요 사이에 존재하는 그러한 결합은 이를 명백하게 밝히지 않은 작가들에게서도 나타난다고 생각한다. 말라르메를 필두로 해서 우리가 세계문학에서 그 역사를 추적할 수 있는 기하학적 창작 수법은 현대 과학의 기초가 되는 질서-무질서의 대립을 배경으로 삼는다. 우주는 열의 구름으로 해체되고 탈출구 없이 엔트로피의 소용돌이에 떨어지지만, 뒤집을 수 없는 이 과정의 내부에는 질서의 영역이, 형식을 향해 나아가려는 일부 존재들, 계획, 전망을 알아챌 수 있을 것 같은, 특권이 부여된 지점들이 존재할 수 있다. 문학작품은 존재가 하나의 형식으로 결정結晶화되는, 의미를 획득하는 극소수의 부류들 가운데 하나이다. 그 의미는 고정되지 않고, 한정되지 않고, 광물의 부동성으로 굳어버리지 않고 유기체처럼 살아 있다. 시 역시 우연의 산물이고 마지막 순간에 우연이 승리를 거둔다는 사실을 알고 있기는 하지만 시는 우연의 강한 적이다. "우연은 주사위 던지기로 무無화되지 않을 것이다."[5]

20세기 초 20~30년 동안 조형미술에서 크게 호평을 받다가 계속해서 문학에서도 성공을 거두었던 논리적-기하학적-형이상학적 흐름들에 대한 재평가는 바로 이러한 구도 내에서 이루어졌다. 수정水晶이라는 상징은 프랑스의 폴 발레리, 미국의 월러스 스티븐스, 독일의 고트프리트 벤, 포르투갈의 페르난두 페소아, 스페인의 라몬 고메스 드

5 — 1897년에 발표된 말라르메 시의 제목.

라 세르나, 이탈리아의 마시모 본템펠리, 아르헨티나의 보르헤스 같이 아주 상이하며 기라성 같은 작가와 시인 들을 구별할 수 있게 할 것이다.

정확히 구분된 작은 면들이 빛을 굴절시키는 수정은 내가 항상 상징으로 간직해 온 완벽함의 본보기이다. 그리고 수정의 탄생과 성장의 몇몇 특성은 아주 초보적인 생물 존재들과 유사해서 광물 세계와 생물을 거의 이어주는 다리가 된다는 사실이 알려지고 나서부터 그러한 편애는 더욱더 의미있게 되었다.

상상력을 자극할 만한 것을 찾기 위해 주제넘게 기웃거리고 있는 과학 서적들을 통해 최근에 우연히 알게 된 내용이 있는데, 생물 형성 과정의 모델이 되는 것은 "한편에서는 수정(특유의 구조들이 지니는 불변성과 규칙성의 이미지), 다른 한편에서는 불꽃(비록 내부에서는 끊임없이 동요하지만 전체 외형이 지닌 불변성의 이미지)"이라는 것이다. 이 말은 롸요몽 센터에서 벌어졌던 장 피아제와 놈 촘스키의 논쟁을 담은 책(『언어 이론 – 습득 이론 *Théories du langage – Théories de l'apprentissage*』, Seuil, 1980)의 마시모 피아텔리-팔마리니의 서문에서 인용했다. 불꽃과 수정의 대립되는 이미지들이 사용되는 이유는 생물학에서 상정되어 이로부터 언어와 습득 능력에 관한 이론으로 이행하고 있는 대안들을 가시화하기 위해서다.

이제 "소음에서 얻는 질서"의 원리, 곧 촛불을 옹호하는 피아제의 입장과 "스스로 조직하는 체계"self-organizing system, 곧 수정을 옹호하는 촘스키의 입장이 함축하는 과학철학적 의미들은 한쪽으로 제쳐 놓겠다.

지금 내게 흥미로운 것은 지난 강의에서 말했던 16세기적 표상들 가운데 하나처럼 그 두 형상을 나란히 늘어놓아보는 것이다. 수정과 불꽃은 우리가 시선을 뗄 수 없을 정도로 완벽한 아름다움을 지닌 두 형태이며, 시간이 흐르는 동안 성장하는, 주위의 물질을 소비하는 두 가지 방식이며, 도덕의 두 가지 상징이며, 두 가지 절대성이며, 사실과 관념, 양식과 감정을 분류할 수 있는 두 개의 범주이다. 나는 조금 전에 20세기 문학에서 수정당黨에 속하는 작가와 시인들을 언급했는데, 그와 유사한 명단은 불꽃당을 위해서도 만들 수 있으리라 확신한다. 나는 언제나 나 자신을 수정을 신봉하는 사람으로 생각해 왔지만, 내가 인용했던 페이지는 존재 방식으로서, 존재 형태로서 촛불의 가치를 잊지 말라고 일러준다. 그래서 나는 불꽃의 추종자로 간주되는 수많은 사람들도 조용하고 끈기 있는 수정의 교훈을 눈앞에서 놓치지 않기를 바란다.

기하학적 합리성과 인간 존재들의 뒤얽힘 사이의 긴

장을 표현할 수 있는 보다 큰 가능성을 내게 부여해준 아주 복잡한 상징은 바로 도시이다. 내가 생각하기에 나의 저서 중에 무엇보다 많은 것을 이야기한 책은 여전히 『보이지 않는 도시들』이다. 나의 모든 성찰, 경험, 가정 들을 단 하나의 상징에 집중시킬 수 있었기 때문이다. 그리고 모든 짧은 텍스트 하나하나가 연속적으로 다른 모든 텍스트들에 근접해 있는 다면적인 구조를 구축했기 때문이다. 그런데 이 연속성은 논리적 귀결이나 위계질서를 내포하는 것이 아니라, 다양한 노선들을 추적하고 다양하고 갈래진 결론들을 끌어낼 수 있는 연결망을 뜻한다.

『보이지 않는 도시들』에서는 모든 개념과 가치가 이중적임이 밝혀진다. 정확성 역시 마찬가지이다. 어떤 순간에 쿠빌라이 칸은 합리적인, 기하학적인 혹은 대수학적인 지적 경향의 화신으로 나타나서 자신의 제국에 대한 인식을 체스 판의 말 조각들의 조합으로 축소해버린다. 쿠빌라이는 마르코 폴로가 아주 세밀하게 묘사하는 도시들을 흰색과 검은색 정사각형 위에 탑, 기수, 말, 왕, 왕비, 보병 들을 다양하게 배치함으로써 표현한다. 이로써 얻게 되는 궁극적인 결론은 그의 정복 대상들은 각각의 체스 말이 놓여 있는 나무판뿐이라는 것이다. 나무판은 무無의 상징일 뿐이다. 하지만 바로 그 순간 국면이 급변한다. 폴로는 칸에게 무처럼 보이는 것을 좀 더 자세히 관찰해보라고 권한다.

… 칸은 게임에 집중하려 애썼다. 하지만 이제 게임을 계속할 이유가 사라졌다. 모든 게임의 결과는 승리 아니면 패배이다. 그런데 무엇을 얻고 무엇을 잃는 것인가? 진짜 판돈은 무엇일까? 자신이 정복한 것을 해체하고 본질적인 것으로 환원하기 위해 쿠빌라이는 극단적인 생각을 하기에 이르렀다. 그러니까 결정적으로 정복을 했다 해도 거기서 얻은 제국의 다양한 보물들은 사람을 현혹하는 껍질에 불과하며, 그러한 정복은 대패로 민 체스 판으로 환원된다는 것이다. 그러니까 무無로….

그러자 폴로가 말했다. "폐하, 폐하의 체스 판은 흑단과 단풍나무로 문양을 넣은 것입니다. 폐하의 빛나는 시선을 붙잡아 두는 체스 말은 가뭄이 든 해에 자란 나무 둥치의 한 층을 잘라 만든 것입니다. 나뭇결이 어떻게 배치되었는지 보시겠습니까? 여기 막 생길락 말락 한 마디가 보이는군요. 어느 이른 봄날 새싹 하나가 피어나려고 했습니다만 간밤의 서리 때문에 포기해야 했습니다." 그때까지 칸은 이 외국인이 자기네 나라 말을 그토록 유창하게 한다는 사실을 알아차리지 못했다. 그러나 그를 놀라게 한 것은 따로 있었다. "여기 아주 커다란 구멍이 하나 있습니다. 이것은 어쩌면 유충의 보금자리였는지도 모릅니다. 태어나자마자 계속 구멍을 팠을 테니 나무좀이 아니라 나뭇잎을 갉아먹는 유충의 보금자리였을 텐데, 이 나무가 잘릴 나무로 선택된 것은 바로 구멍 때문입니다…. 이 가장자리는 옆의 정사각형에 붙여 더욱 도드라져 보이도록 소목장이가 둥근 끌로 조각을 했습니다…."

쿠빌라이는 매끄럽고 속이 빈 나뭇조각에서 읽을 수 있는 수많은 것들 속에 빠져들어버렸다. 벌써 폴로는 흑단나무 숲, 강물들을 따라 내려오는 통나무 뗏목, 뗏목을 대는 부두, 창가에 얼굴을 내민 여인네들에 관해 이야기하고 있었다….

이 대목을 쓴 순간, 정확성에 대한 나의 탐구는 두 방향으로 갈라진다는 사실이 명백해졌다. 한 방향에서는 우발적인 사건들을 추상적인 도식으로 환원하는데, 이 도식을 통해서 작업을 실행하고 정리定理를 보여줄 수 있다. 다른 한 방향에서는 사물들의 감지할 수 있는 측면을 될 수 있으면 정확히 보고할 수 있도록 언어적인 노력을 기울인다.

사실 나의 글쓰기는 언제나 서로 다른 두 가지 인식 유형에 해당하는 두 갈래 길 앞에 서 있었다. 한 길은 분할된 합리성의 정신적 공간 속으로 뻗어 있는데 여기에서는 점들, 투영된 것들, 추상적인 형태들, 힘의 벡터들을 연결하는 선들을 그어볼 수 있다. 다른 한 길은 사물들로 가득 찬 공간 속으로 뻗어 나가며 페이지를 언어로 채움으로써 그러한 공간과 동등한 언어적 등가물을 창조하려고 애쓴다. 쓰인 것을 쓰이지 않은 것에, 말할 수 있는 것과 말할 수 없는 것 전체에 세밀하게 맞추려는 노력을 통해서 말이다. 이러한 길들은 정확성을 향한 두 가지 상이한 충동이며, 이 충동들은 결코 완전한 만족에 도달할 수 없다. 이유 중 하나는 언제나 자연언어들은 형식화된 인공언어들에 비해 더 많은 무엇인가를 말하기 때문에, 정보의 본질을 교란하는 많은 양의 소음을 용인하기 때문이다. 다른 하나는 우리를 둘러싼 세계의 밀도와 연속성을 표현하는 데 있어서 언어는 결함투성이로, 단편적인 것으로 밝혀지기 때문에, 실행할 수 있는 것 전체와 비교해볼 때 언제나 더 적은 것을 말하기 때문이다. 이러한 두 갈래 길 위에서 나는 끊임없이 동요했는데, 한쪽 길에서 가능성들을 최대한 탐색했다고 느낀 순간 정반대의 다른 쪽 길로 뛰어들었고, 거기서 또 반대편으로 옮겨 갔다. 그렇게 최근 몇 해 동안 나는 번갈아 가며 오늘날에는 거의 간과되고 있는 기교인 묘사 연습과 함께 이야기 구조에 관한 훈련을 했다. '기린을 묘사하라' 아니면 '별이 뜬 하늘을 묘사하라'는 숙제를 받은 학생처럼 나는 그러한 연습들로 공책을 가득 메워 가는 일에 전념했고 그것을 한 권의 책으로 묶었다. 제목은 『팔로마르』인데 지금 영어판이 출간되어 있다.[6] 이 책은 최소한의 인식의 문제들, 세상과 나의 관계를 설정하기 위한 방법들, 침묵할 때와 언어를 사용할 때의 만족감과 좌절감에 관한 일종의 일기이다. 이러한 탐구 방법 속에서 몇몇 시인의 경험이 내게 다가왔다. 나는 윌리엄 칼로스 윌리엄스를 생각하고 있다. 그는 시클라멘의 잎들을 묘사하는데, 묘사가 너무도 세밀해서 잎들로부터 꽃이 형태를 갖추고 꽃봉오리가 터지게 만들어 시에 식물의 경쾌함을 부여할 수 있을 정도이다. 나는 또 메리앤 무어를 생각하는데, 그는 자신의 동물 설화집에서 천산갑과 앵무조개를 비롯한 모든 동물을 정의할 때 동물학 서적에서 얻은 정보와, 자신의 모든 시를 도덕적 우화로 만드는 상징적이고도 우의적인 의미를 결합한다. 그리고 나는 또 몬탈레를 생각하는데, 그는 자신의 시 「뱀*L'anguilla*」에서 윌리엄스와 무어의 성과를 결합했다고 할 수 있을 것 같다. 단 하나의 아주 긴 문장으로 된 이 시는 뱀 모양을 하고 있으며, 뱀

6 — 『팔로마르』는 1985년 말에 미국의 Harcourt Brace Jovanovich 출판사를 통해 출판되었다.(원주)

의 전 생애를 추적하며, 뱀을 도덕적 상징으로 만든다.

하지만 나는 누구보다도 먼저 퐁주를 생각한다. 그는 짧은 산문시를 통해 현대문학에서 유례가 없는 장르 하나를 창조해냈다. 바로 자신의 말들을 확장된 세계의 모습 위에 배치하는 연습을 처음으로 해야만 하고 일련의 시도, 초안, 접근을 통해 그걸 해낼 수 있는 학생의 "습작 노트"이다. 나에게 있어서 퐁주는 누구와도 견줄 수 없는 스승이다. 왜냐하면 『사물들의 의도*Le parti pris des choses*』의 짧은 텍스트들과 그런 방향으로 나아가는 모음집들의 짧은 텍스트들이 **작은 새우**나 **조약돌**이나 **비누**의 의도를 말하고 있고, 언어를 사물들의 언어로 만들기 위해 언어와 싸우는 가장 뛰어난 전형을 보이기 때문이다. 사물들의 언어는 사물에서 출발하여, 우리가 사물들에 부여한 인간적인 모든 것을 싣고 우리에게 돌아오는 것이다.

퐁주의 분명한 의도는 짧은 텍스트들과 정교한 변이문들을 통해 새로운 『사물의 본질에 관하여』를 쓰는 것이었다. 나는 우리가 그에게서 세계의 물리적 성질을 미세한 언어의 입자를 통해 재구성하는 우리 시대의 루크레티우스를 재인식할 수 있다고 믿는다.

내가 보기에 퐁주의 작업은 상반되고 상호보완적인 방향에서 말라르메의 작업과 동일한 층에 놓일 수 있다. 말라르메에게서 언어는 추상의 극단에 도달하고 무를 세계의 궁극적인 실체로 보임으로써 정확성의 절정에 이른다. 퐁주에게서 세상은 가장 보잘것없고 부차적이고 비대칭적인 사물들의 형태를 띠고 있으며, 언어는 불규칙적이고 미세하게 복잡한 이런 형태들의 무한한 다양성을 알려주는 데 사용된다. 언어는 세계의 실체에, 궁극적이고 유일하며 절대적인 실체에 도달하기 위한 수단이라고 믿는 사람이 있다. 이러한 실체를 표현하면 할수록 언어는 세상의 실체와 동일해진다(따라서 수단이라고 말하는 것은 잘못이다). 자체만을 인식하는 말이 있다. 그래서 세계에 대한 다른 인식은 불가능해진다. 반면에 언어 사용을 사물에 대한 끊임없는 추적으로, 사물들의 실체가 아니라 무한한 다양성에 대한 접근으로, 사물들의 무궁무진하게 다양한 형태의 표면들을 스쳐 지나가는 것으로 이해하는 사람이 있다. 호프만스탈은 이렇게 말했다. "깊이는 숨겨져 있다. 어디에? 표면에." 그리고 비트겐슈타인은 "숨겨져 있는 것은 우리가 상관할 바 아니다"라고 말함으로써 호프만스탈보다 한 걸음 더 나아갔다.

나는 그렇게 과감하지 못하다. 우리는 언제나 숨겨져 있는 무엇 혹은 잠재적이거나 가정적인 무엇을 추적하고 있으며 지표면에 노출되는 그것의 흔적들을 따라가고 있다고 생각한다. 우리의 기본적인 정신 메커니즘은 사냥꾼이자 수집가였던 구석기시대 우리 조상들부터 인류 역사의 문화 전체에 걸쳐서 되풀이되고 있다고 생각한다. 허공에 던져진 무너지기 쉬운 운명의 다리처럼 언어는 볼 수 있는 흔적을 볼 수 없는 것에, 부재하는 것에, 기대하거나 두려워하는 것에 연결해준다.

바로 이 때문에 나는 언어를 올바로 사용함으로써 (현존하거나 부재하는) 사물들이 말없이 전해주는 바를 존중하면서 신중하고 주의 깊고 조심스럽게 (현존하거나 부재하는) 사물들에 접근할 수 있다고 믿는다.

아직도 표현을 피해 가는 무언가를 포착하기 위한 언어와의 전쟁을 더욱 의미심장하게 보여주는 예는 레오나르도 다 빈치이다. 다 빈치의 코덱스들은 더욱 풍부하고 섬세하고 정확한 표현을 찾기 위해 언어와 벌이는 전쟁을, 뻣뻣하고 껄끄러운 언어와 벌이는 전쟁을 보여주는 아주 이례적인 자료이다. 진정한 작품은 그것의 결정적인 형태가 아닌, 그러한 형태에 도달하기 위한 일련의 접근들에 있기 때문에 퐁주가 연이어 발표하는 하나의 생각에 대한 다양한 처리 단계들은, 작가 다 빈치에게는 그가 글쓰기를 인식의 도구로 보고 쏟은 노력을 증명하는 것이 된다. 그리고 그가—쓰고자 했던 모든 책들 가운데서—출판될 텍스트의 완성보다는 탐구 과정에 더 흥미를 느꼈다는 사실을 증명하는 것이 된다. 따라서 다 빈치가 사물들이나 동물들에 관해 쓴 일련의 짧은 우화에서 보듯이 주제들도 퐁주와 때로 유사하다.

불꽃에 관한 우화를 예로 들어보자. 다 빈치는 불꽃을 재빠르게 요약해준다(비록 자신이 "최상의 원소"임에도 불구하고 냄비 안에 든 물이 자기 위에 올려져 있기 때문에 기분이 상한 불꽃은 더욱더 불길을 높이고, 마침내는 물이 끓고 넘쳐흘러 불을 꺼뜨려버린다). 그러고는 이 요약을 바탕으로 세 개의 초고를 연달아 써 나가는데, 이 초고들은 모두 불완전하며, 세 군데 난에 나란히 쓰여 있다. 매번 세부 내용이 덧붙여지는데, 거기에는 타지 않는 장작들 틈바구니에서 어떻게 작은 불꽃이 피어올라 탁탁 소리를 내며 커져 가는지가 묘사된다. 하지만 다 빈치는 금방 중단해버린다. 세부 내용에는 한계가 없어서 이를 통해서는 아주 간단한 이야기도 들려줄 수 없음을 깨닫기라도 한 듯이 말이다. 부엌의 화덕 속에서 타오르는 장작에 관한 이야기도 역시 무한에 이를 때까지 내부로부터 커 나갈 수 있다.

자신을 "못 배운 사람"omo sanza lettere으로 규정했던 다 빈치는 문어文語와 어려운 관계를 유지하고 있었다. 그의 지식은 세상에서 따라갈 사람이 없었지만, 라틴어와 문법에

무지해서 글로 당대의 학자들과 의사소통하지 못했다. 분명 그는 자기 학문의 많은 부분을 말보다는 그림으로 더 잘 표현할 수 있으리라고 느꼈을 것이다.("오, 작가여. 당신은 여기 그림이 보여주는 완전한 형상을 어떤 문자를 가지고 이렇게 완벽하게 써낼 것인가?" 다 빈치는 해부학 노트에 그렇게 적어 두었다.) 그는 과학뿐만 아니라 철학도 회화와 설계도로 훨씬 더 잘 전달할 수 있다고 믿었다. 하지만 글쓰기의 필요성도 끊임없이 느꼈다. 다양한 형태로 표출되는 세계와 비밀을 탐구하기 위해 그리고 또 자신의 환상과 감정과 원한에 형태를 부여하기 위해 끊임없이 글쓰기를 이용할 필요가 있었던 것이다(자기같이 "자연과 인간 사이에서 창안하고 해석하는 자"의 역할을 수행하는 사람들에 대해서는 무관심한 채 남의 책에서 읽었던 것을 반복할 능력밖에 없는 문학가들을 향해 욕을 퍼부을 때처럼 말이다). 그래서 갈수록 더 많이 글을 쓰게 되었다. 세월이 지나면서 그림 그리기를 그만두었고, 단 하나의 이야기를 스케치와 언어로 계속해 나가듯이 글쓰기와 스케치를 통해 사색했고, 거울에 비친 듯 좌우가 바뀌게 왼손으로 쓴 글자로 공책을 메워 갔다.

『코덱스 아틀란티쿠스』[7] 265쪽에서 다 빈치는 지구의

7 — 레오나르도 다 빈치의 스케치와 글 모음집.

성장에 대한 주장을 뒷받침할 증거들을 설명하기 시작한다. 지표에 흡수되어 매몰된 도시들을 예로 들고 나서 산에서 발견된 바다 화석들로, 그리고 특히 태곳적 바다 괴물의 일부로 추정되는 어떤 뼈로 옮겨 가고 있다. 이때 그의 상상력은 아직 파도 속에서 헤엄치던 때의 거대한 동물의 환영에 매혹당한 것이 틀림없다. 사실 그는 종이를 뒤집어서 그러한 환기의 경이로움을 되살리는 한 문장에 세 번씩 주의를 기울이면서 그 동물의 이미지를 고정하려고 애쓴다.

> 오, 부풀어 오른 거대한 대양의 파도 속에서, 털로 뒤덮인, 산등성이처럼 거대한 검은 등과, 묵직하고 웅장하게 걷는 네 모습을 얼마나 많이 보았는지!

그러고는 뛰어오르다volteggiare라는 동사를 삽입함으로써 괴물의 '걸음걸이'에 활력을 주려고 한다.

> 그리고 종종 부풀어 오른 거대한 대양의 파도 속에서 웅장하고 묵직한 움직임으로 바닷물 속에서 뛰어오르며 도는 네 모습이 보인다. 그리고 털로 뒤덮인, 산등성이처럼 검은 등으로 그 물들을 이겨내고 압도하는구나!

하지만 **뛰어오르다**는 그가 환기하는 장대하고 위엄 있는 인상을 감하는 것처럼 보인다. 그래서 그는 **가르다**solcare라는 동사를 택해서 분명한 문학적 지식으로 시행의 구조를 완전히 바꾸어 치밀하고 리듬감 있는 시행으로 만든다.

오, 부풀어 오른 거대한 대양의 파도 속에서
산등성이처럼 그 물들을 이겨내고 압도하고
털로 뒤덮인 검은 등으로, 당당하고 무게 있는 걸음걸이로
바닷물을 가르는 네 모습을 얼마나 많이 보았는지!

거의 자연의 장엄한 힘의 상징으로 나타나는 이 환영을 추적해보면 레오나르도의 상상력이 어떻게 작용하는지 알 수 있는 통로가 열린다. 이제 강의를 마치면서 그 이미지를 여러분에게 남겨주고 싶다. 여러분이 될 수 있으면 오랫동안 그 이미지의 투명함과 신비로움을 기억 속에 고스란히 간직할 수 있도록 말이다.

4강

가시성

Visibilità

단테는「연옥」의 한 구절(XVII, 25)에서 이렇게 말한다. "그러고 나서 까마득한 환상 속으로 비가 내리듯 나타났다." 오늘 밤 나는 이런 주장으로 강의를 시작하겠다. 환상은 비가 내려 드는 영역이라고 말이다.

「연옥」의 이 구절이 어떤 맥락에 있는지 살펴보자. 우리는 지금 분노한 자들의 둘레에 들어와 있으며, 단테는 자신의 정신 속에서 직접 형성되고 있으며 고전적이고도 성서적인, 벌받은 분노의 사례들을 보여주는 이미지들에 대해 명상하고 있다. 단테는 이러한 이미지들이 하늘에서 떨어지며 이들을 보내는 이는 바로 하느님임을 깨닫는다.

연옥의 다양한 둘레에서는 풍경과 하늘의 세세한 모습 말고도, 벌받는 죄인들의 영혼과 초자연적인 존재들 말고도, 단테에게는 인용할 장면들, 죄와 덕의 사례들을 표상하는 듯한 장면들이 나타난다. 처음에는 움직이고 말하는 것처럼 보이는 부조浮彫로, 다음에는 눈앞에 투영되는 이미지로, 그의 귀에 와닿는 목소리로, 그리고 마지막에는 순수하게 정신적인 이미지로 제시된다. 결국 이 이미지들은 점점 더 내면화되어 가는 것이다. 둘레를 옮길 때마다 새로운 형태의 메타 표상을 만들어내는 일은 쓸모없음을, 그리고 그런 이미지들이 감각을 통해 투영되어 들어오게 하는 것보다는 곧바로 정신 속에 자리 잡게 하는 편이 더 낫다는 것을 마치 단테가 깨닫기라도 한 듯이 말이다. 하지만 이에 앞서 상상력이 무엇인지, 단테가 두 삼행시절三行詩節(XVII, 13~18)로 쓴 것이 무엇인지 정의할 필요가 있다.

> 오 상상력이여, 주위에서 천 개의 나팔이 울려 퍼져도
> 그것을 듣지 못할 만큼 바깥의 것을
> 우리에게서 때때로 빼앗아 가는 자여,
> 감각이 그대를 깨우지 않는다면 무엇이 그대를 움직이는가?
> 스스로 생겼거나 저 아래서 그것을 깨닫게 하려고 하늘에서 생겨난 빛이 그대를 움직이는구나.

물론 조금 뒤에 분명히 밝히겠지만 지금 우리는 "까마득한 환상", 곧 상상력 중에서 가장 고귀한 것으로서 물질적인 형체에 대한 상상력과는 구별되는, 꿈의 혼돈 속에서 분명히 드러나는 것을 다루고 있다. 이 점을 염두에 두고, 자기 시대 철학이 추론하는 바를 충실히 재현하고 있는 단테의 사고를 따라가보자.

오 상상력이여, 우리의 능력과 의지를 좌우할 힘을 가졌으며, 주위에서 천 개의 나팔이 울려퍼져도 그것을 알아차리지 못할 만큼 바깥세상을 우리에게서 빼앗아 내면세계

로 납치해 가는 자여. 그대가 받은 시각적 이미지들이 기억 속에 축적된 감각에 의해 생긴 게 아니라면 어디에서 기인하는 걸까? "하늘에서 생겨난 빛이 그대를 움직이는구나." 단테에 따르면—그리고 토마스 아퀴나스에 따르면—하늘에는 상상 세계의 내재적 논리에 따라("스스로"), 혹은 하느님의 의지에 따라("저 아래서 그것을 깨닫게 하려고") 형성된 관념적인 이미지들을 전달하는 일종의 빛나는 원천이 있다.

단테는 자신(순례자 단테)에게 제시되는 환상들을 마치 자신이 떠난 하늘 여행의 객관적인 현실과는 분리된 스크린에 투사된 영화 영상이나 수신된 텔레비전 영상인 것처럼 이야기하고 있다. 하지만 시인 단테에게는 순례자 단테의 여행 전체가 바로 그러한 영상들과 같은 것이다. 곧 시인 단테는 순례자인 자신이 보는 모든 것뿐만 아니라 본다고 믿는 것이나 꿈꾸는 것이나 기억하는 것이나 표상된 대상이라고 믿는 것이나 혹은 이야기로 듣게 되는 모든 것을 시각적으로 상상해야 하며, 마찬가지로, 바로 그런 시각적인 일깨움을 용이하게 하는 메타포의 시각적인 의미도 상상해야 한다. 그래서 단테가 정의하려고 애쓰는 것은 『신곡』에서 상상력이 하는 역할인데, 정확히 말하자면 언어적 상상에 앞서거나 동시에 일어나는 환상의 시각적인 부분이다.

우리는 상상의 과정을 두 가지 유형으로 구별할 수 있다. 언어에서 출발하여 시각 이미지에 도달하는 경우와 시각 이미지에서 출발하여 언어 표현에 이르는 경우이다. 첫째 과정은 일반적으로 글을 읽을 때 일어난다. 예컨대 소설의 한 장면이나 신문의 사건 보도를 읽어보자. 그러면 텍스트가 주는 크거나 작은 효과에 따라서 우리는 해당 장면을 우리 눈앞에서 일어나고 있는 것처럼 보거나, 적어도 명확하지 않은 것에서 분명히 드러나는 장면의 단편과 세부를 보게 된다.

영화에서 우리가 스크린으로 보는 이미지 역시 글로 쓴 텍스트의 단계를 거치고, 감독에게서 정신적으로 '가시화'되고, 그다음에 세트를 통해 물리적으로 재구성되고, 최종적으로는 필름 토막이 빚어내는 화면들 속에 고정된 것이다. 그러므로 필름은 연속되는 비물질적인 단계들과 물질적인 단계들에서 나온 결과인데, 이 과정에서 이미지들이 형태를 갖추게 된다. 이러한 과정에서 상상력이라는 "정신의 영화"는, 카메라로 기록되고 다음에 무비올라[1]로 편집됨으로써 연속 장면들이 실제로 구현되는 단계의 작용만큼이나 중요한 작용을 한다. 이 "정신의 영화"는 항상 우

1 — 영화 편집 기계.

리들 모두에게 작용하고 있으며—영화가 발명되기 전에도 항상 그래 왔다—이미지들을 우리의 내적인 삶에 투영하는 일을 결코 멈추지 않는다.

이냐시오 데 로욜라Ignacio de Loyola[2]의 『정신의 훈련*Esercizi spirituali*』에서 시각적 상상력의 중요성은 의미심장하다. 바로 이 책의 서두에서 성 이냐시오는 연극 연출을 위한 지침처럼 들리는 용어로 "장소의 시각적 구성"에 대해 규정한다. "… 바로 눈에 보이듯이 주 예수를 응시할 때처럼, 시각적으로 명상이나 묵상을 할 때 내가 명상하고자 하는 것이 위치한 물리적 장소를 상상의 관점에서 보아야 할 것이다. 내가 말하는 물리적인 장소란 예컨대 예수 그리스도나 성모님이 계셔야 하는 성전이나 산이다…." 곧이어 성 이냐시오는 자신들의 죄에 대한 묵상은 시각화되어서는 안 된다고, 혹은—내가 제대로 이해했다면—은유적인 유형의 시각화(부패하기 쉬운 육체에 갇힌 영혼)를 이용해야 한다고 서둘러 분명하게 말한다.

좀 더 나아가보면, 둘째 주 첫날의 정신 훈련은 공상적인 거대 파노라마와 눈길을 끄는 군중들이 등장하는 장면들과 함께 펼쳐진다.

2 — 1491~1556, 에스파냐의 군인, 성직자, 예수회의 창립자.

첫째 요점은 이런저런 사람들을 지켜보는 것이다. 그리고 먼저 다양한 옷을 입고 다양한 행동을 하는 지상의 사람들, 백인들과 흑인들, 평화로운 사람들과 전쟁 중인 사람들, 울고 있는 사람들과 웃고 있는 사람들, 건강한 사람들과 병든 사람들, 갓 태어난 이들과 죽어가는 사람들 등을 살펴보는 것이다.

둘째 요점은 신적인 세 인물들이 신적인 위엄을 지닌 왕좌나 옥좌에 앉아 있음을 보거나 그렇다고 여기는 것이다. 그들이 지구의 표면과 둥근 모습 그리고 완전히 맹목적인 모든 인간을 어떻게 내려다보고 있는지, 그리고 그들이 죽어서 어떻게 지옥에 떨어지는지를 보는 것이다.

모세의 하느님은 자신이 이미지로 표상되는 것을 허용하지 않는다는 생각은 로욜라에게 한 번도 스쳐 지나간 일이 없는 것 같다. 반대로, 그는 모든 기독교인을 위해 단테와 미켈란젤로의 위대한 시각적 재능을 되찾을 것을 요구한다고 말할 수도 있을 것이다—단테는 천국의 지고한 환상들 앞에서 자신의 상징적인 상상력을 절제해야 할 의무를 느꼈지만 이냐시오에게서는 그조차 찾아볼 수가 없다.

그다음 날의 정신 훈련(두 번째 명상의 첫째 요점)에서 명상자는 스스로 무대로 들어가서 상상의 극 속에서 배우의 역할을 맡아야 한다.

> 첫째 요점은 인물들, 곧 성모와 요셉과 하녀와 갓 태어난 아기 예수를 보는 것이다. 내 스스로 보잘것없는 인간, 한없이 비천한 하인이 되어 그들을 바라보고 그들에 대해 명상하고 필요할 때는 그들에게 봉사하는 것이다. 가능한 모든 헌신과 존경을 바치며 나 자신이 실제로 거기 있는 것처럼 말이다. 그러고 나서 그것으로부터 이익을 얻기 위해 나 자신에 대해 숙고하는 것이다.

확실히 가톨릭 종교개혁 시기의 가톨릭은 시각적인 의사소통을 기본 수단으로 삼고 있었는데, 이 수단에는 종교예술의 감동적인 암시가 있으며, 신자들은 여기서 출발하여 교회의 구두 가르침을 따라 의미를 향해 다시 올라가야만 했다. 하지만 언제나 신자가 '상상한' 이미지가 아니라 주어진 이미지, 교회 자체가 제시한 이미지에서 출발해야만 했다. (내가 생각하기에) 로욜라의 방식을 두드러지게 만드는 것은, 당대의 신앙 형식들과 비교했을 때도 마찬가지지만, 깊은 의미들에 대한 인식에 도달하기 위한 방법으로서 언어에서 시각적 상상으로 옮겨 가는 데 있다. 여기서도 출발점과 도착점은 이미 정해져 있다. 그 중간에서 개인의 환상을 적용할 수 있는 무한한 가능성의 영역이 열림으로써 인물, 장소, 무대들을 생생히 그리게 된다. 신자는 자신의 시각적 상상력이 신학적인 논술에서 혹은 복음서들의 간결한 시행에서 끌어낼 수 있는 자극에서 출발하여 형상들로 가득 찬 프레스코 벽화를 머릿속의 벽에 그리라는 요청을 받는다.

이제 문학적인 문제로 돌아와서, 문학이 자신의 근원 혹은 목적을 더 이상 권위라든가 전통에서 찾지 않고 새로움, 독창성, 창의력을 추구하는 시대에 상상력은 어떻게 형성되어야 하는가를 자문해보자. 내 생각에는 이런 상황에서 시각 이미지가 먼저인가 언어 표현이 먼저인가 하는 문제의 답은 (약간은 닭과 달걀의 문제 같기도 하지만) 확실히 시각 이미지 편으로 기울어지는 것 같다.

환상 속으로 "비가 내리듯" 내려오는 이미지들은 어디서 오는 것일까? 단테는 자신의 환상은 신에게 직접 영감을 받은 것이라고 선언하는 데 주저함이 없을 정도로 스스로를 높이 평가했다. 우리와 아주 가까이 있는 작가들은 (예언자적인 소명을 지닌 보기 드문 몇몇 경우를 제외하고는) 개인이나 집단의 무의식, 잃어버린 시간 속에서 다시 떠오르는 감각을 통해 다시 찾게 되는 시간, 무언가의 현현顯現, 또는 특별한 장소나 순간에 있을 때의 집중 상태와 같은 현세의 송신소들과 접속할 수 있는 연락망을 구축해 놓는다. 요컨대, 비록 하늘에서 출발하진 않았지만 개인에 대해 일종의 초월성을 취하며 우리의 의도와 제어력을 넘어서는 과정들이 문제가 되는 것이다. 이러한 문제는 시인이나 소설가들에게만 제기되는 것이 아니다. 더글러스 호프스태터 같은 지성 있는 학자도 자신의 유명한 책 『괴델, 에셔, 바흐』에서 유사한 방법으로 그러한 문제를 제시한다. 이 책에서 그가 밝힌 진정한 문제는 환상 속으로 "비가 내리듯" 내려오는 여러 이미지 가운데서 무엇을 선택하느냐 하는 것이다.

> 예를 들어, 정신적인 이미지 형태로 소유하고 있는 어떤 생각들을 표현하려고 애쓰는 작가를 한번 생각해보자. 그는 이러한 이미지들이 자신의 머릿속에서 어떻게 조화를 이루는지 전혀 확신이 없으며, 처음에는 이런 방법으로, 그다음에는 저런 방법으로 사물들을 표현하면서 실험을 한 끝에 마침내 특정한 형태에 정착한다. 하지만 이 모든 것이 어디서 오는지 알고 있을까? 그저 막연하게 알 뿐이다. 그 근원의 대부분은 빙산처럼 눈에 보이지 않게 물밑에 깊이 잠겨 있다—그리고 작가는 그 사실을 알고 있다.

하지만 아마도 우리는 맨 먼저 이 문제가 과거에 어떤 식으로 제기되어 왔는지 검토해야 할 것이다. 상상력에 관한 관념의 역사 가운데 가장 철저하고 분명하고 종합적인 것은 장 스타로뱅스키Jean Starobinski의 논문 「상상력의 왕국」(*La relation critique*, Gallimard, 1970에 들어 있음)에서 발견하게 되었다. 신플라톤주의에 기원을 두는 르네상스 마법에서 상상력을 세계정신과의 의사소통 수단으로 보는 관념이 시작되는데, 이것은 나중에 낭만주의와 초현실주의에서 나타난다. 이러한 관념은 상상력을 인식의 도구로 보는 관념과 대조되는데, 후자에 따르면 상상력은, 비록 과학적 인식의 길과 다른 길을 따르기는 하지만, 그것과 공존할 수 있고, 또 도움이 될 수도 있다. 사실 과학자들에게는 그들의 가설을 구성하는 데 필요한 기회가 될 수 있다. 반면에 상상력을 우주의 진리가 보관된 곳으로 보는 이론들은 자연철학이나 일종의 신지학神智學적 지식과는 화합할 수 있지만 과학적 지식과는 양립할 수 없다. 외부 세계는 과학에 맡기고 상상력에 의한 지각은 개인의 내면에 고립시켜 두는 방법으로, 인식할 수 있는 것을 둘로 분리하는 경우는 예외지만 말이다. 스타로뱅스키는 둘째 입장에서 프로이트적 정신분석 방법을 인정한다. 반면에 원형과 집단무의식에 보편적인 정당성을 부여하는 융의 방법은 상상력을 세계의 진리에 참여하는 것으로 보는 관념과 연관된다.

이 지점에 이르러 내가 피할 수 없는 질문은 이런 것이다. 상상력에 관한 나 자신의 생각은 스타로뱅스키가 경계를 그어 놓은 두 흐름 가운데 어디에 위치해야 하는 것일까? 대답을 하기 위해서는 어쨌든 작가로서 내가 한 경험, 특히 환상적인 이야기와 관련된 경험을 돌아볼 수밖에 없다. 내가 환상적인 이야기들을 쓰기 시작했을 때는 아직 이론적인 문제들은 제기하지 않았다. 단 한 가지 내가 확신하고 있었던 점은 내 이야기의 원천에는 시각 이미지들이 존재했다는 것이다. 예를 들면 이런 이미지들 가운데 하나는 몸 한가운데가 반으로 나뉘어 두 부분이 각자 따로 계속 살아가는 남자이다. 또 다른 예는 이 나무에서 저 나무로 옮겨 다니며 절대 땅에 내려오지 않는 소년의 이미지이다. 그리고 또 한 예는 마치 안에 누군가 들어 있는 것처럼 움직이고 말하는, 속이 빈 갑옷의 이미지이다.

그러므로 이야기를 구상할 때 맨 먼저 내 머리에 떠오르는 것은 어떤 이유에서인지 의미를 담은 채 나에게 나타나는 이미지이다. 비록 그 의미를 논증적이거나 개념적인 용어로 명확히 표현할 수는 없지만 말이다. 나는 내 머리에서 충분히 명확해졌을 때 이미지를 이야기로 발전시키기 시작한다. 아니 좀 더 정확히 말하자면, 숨겨져 있던 잠재력을, 내부에 들어 있던 이야기를 펼쳐 나가는 주체는 바로 이미지 자체이다. 각 이미지 주변에는 다른 이미지들이 탄생하고, 유추, 대칭, 대비의 영역이 형성된다. 이때, 순전히 시각적일 뿐만 아니라 관념적이기도 한 그런 재료의 조직 속으로 나의 의도도 끼어드는데, 이야기 전개에 질서와 의미를 부여하려는 것이다. 아니 오히려 내가 하는 일은 내가 이야기에 부여하고 싶은 전반적인 구도와 양립할 수 있는 의미는 무엇이고 그렇지 않은 것은 무엇인지를 정해보려고 노력하는 것이다. 대체 가능한 것들의 여지는 언제나 남겨 놓으면서 말이다. 이와 동시에 글쓰기, 언어 표현은 점점 더 중요성을 띠게 된다. 내가 말하고 싶은 것은, 하얀 것 위에다 검은 것을 두기 시작하는 순간부터는 글로 쓴 말이 중요하게 된다는 점이다. 글로 쓴 말은 처음에는 가시적 이미지와 동등한 가치를 지니는 표현을 탐색한 것이 되고, 나중에는 처음에 설정한 문체를 일관성 있게 전개하는 것이 되며, 차츰차츰 해당 영역의 주인으로 머물러 있게 된다. 글쓰기는 언어 표현이 더욱더 적절히 흘러 나가는 방향으로 이야기를 이끌어 나갈 테고, 가시적 상상력은 그저 뒤를 따를 수밖에 없을 것이다.

『우주 만화』에서는 절차가 약간 다른데, 과학 담론에서 뽑아낸 진술이 출발점이 되기 때문이다. 가시적 이미지들의 자율적인 유희는 그 관념적인 진술에서 탄생할 수밖에 없다. 나는 이미지들을 이용하는 신화의 전형적인 담론은 어떤 토양에서든 탄생할 수 있다는 것을, 현대의 과학 언어처럼 모든 가시적 이미지와 아주 멀리 떨어진 언어에서도 탄생할 수 있다는 것을 보여주고 싶었다. 우리는 아주 전문적인 과학 서적이나 아주 추상적인 철학 서적을 읽다가도 예기치 않게 비유적 환상을 자극하는 구절을 만날 수 있다. 그래서 우리는 미리 존재하는, 글로 된 텍스트(내가 글을 읽으면서 우연히 접하게 된 페이지나 문장)에 의해 이미지가 결정되고 그로부터 출발 텍스트의 정신면에서도, 완전히 자율적인 방향에서도 환상적으로 전개되는 그런 상황에 놓이게 된다.

『우주 만화』에서 내가 제일 먼저 쓴 단편인 「달과의 거리」는 (이렇게 말해도 된다면) 가장 '초현실적' 작품이다. 중력물리학에 기초하는 출발점이 꿈같은 성격의 환상에 자유로운 길을 열어준다는 의미에서 그렇다. 다른 단편들에서는 과학적 출발점과는 더욱더 합치하지만 언제나 상상력과 감정의 옷을 입고 있고 독백이나 대화의 목소리로 채색된 생각이 플롯을 이끈다.

간단히 말해 나의 전개 방식은 이미지들의 자발적 생성과 논증적 사고의 의도성을 하나로 통합하는 것이다. 시각적 상상력이 내재적 논리를 작동시킴으로써 개시의 움직임이 일어날 때에도 조만간 어떤 그물에 갇히는데, 추론과 언어 표현이 역시 자체의 논리를 부과해 놓게 되는 그물이다. 어쨌든 시각적 해결책은 계속해서 결정적인 해결책으로 남게 되며, 때로는 추론으로도, 언어 표현으로도 해결할 수 없는 예기치 않은 상황들을 결정하는 데까지 이르게 된다.

『우주 만화』의 의인관擬人觀에 대해 분명히 밝혀야 할 점이 있다. 내가 과학에 관심을 갖는 이유는 바로 의인관적 인식에서 벗어나고자 노력하기 때문이다. 하지만 동시에 우리의 상상력은 의인관적 특성을 띨 수밖에 없다고 나는 확신한다. 인간이 존재하지 않았던 우주를, 아니 인간이 존재할 수 없을 정도로 도무지 있을 법하지 않은 장소를 의인화하여 표현하려는 나의 도박은 바로 그러한 확신에서 나온 것이다.

이제 스타로뱅스키가 갈라 놓은 두 가지 흐름과 관련하여 내가 제기한 물음, 곧 상상력을 인식의 도구로 보느냐 아니면 세계정신과 동일해지는 것으로 보느냐 하는 물음에 대답할 때가 되었다. 나의 선택은 어느 쪽인가? 내가 지금까지 한 말로 본다면, 첫째 경향을 확고하게 지지하는 사람이 되어야 할 것이다. 나에게 이야기란 이미지들의 자발적 논리와, 합리적 의도에 따라 계획된 설계도가 통합된 것이기 때문이다. 하지만 동시에 나는 초개인적, 초주관적 인식에 도달하는 수단을 항상 상상력에서 찾았다. 그래서 둘째 입장, 그러니까 상상력을 세계정신과 동일해지는 것으로 보는 입장에 더 가깝다는 것을 밝히는 게 옳을 듯하다.

하지만 내가 전적으로 인정하는 다른 정의가 있으니, 상상력을 잠재적인 것, 가설적인 것, 존재하지 않고 존재하지도 않았고 앞으로도 존재하지 않지만 존재할 수 있었는지도 모르는 것의 목록으로 보는 것이다. 스타로뱅스키의 논술에서는 브루노의 개념을 상기시키는 부분에서 그러한 측면이 나타난다. 브루노가 말하는 환상하는 영혼spiritus phantasticus은 "결코 완전히 채워질 수 없는 형상과 이미지들의 세계 또는 만灣"mundus quidem et sinus inexplebilis formarum et specierum이다. 그래서 나는 이러한 잠재된 다양성의 만에서 무언가를 퍼올려 쓰는 일은 어떤 방식의 인식에든 절대적으로 필요하다고 믿는다. 시인의 정신은, 그리고 어떤 결정적인 순간에 과학자의 정신은, 이미지 조합의 절차를 따르는데, 이는 가능성과 불가능성의 무한한 형태들을 연결하고 선택하는 가장 빠른 체계이다. 환상은 모든 가능한 조합들을 고려하면서 어떤 목적에 부합하는 것들이나 아니면 단순히 가장 흥미롭고, 기분 좋고, 재미있는 것들을 선택하는 전기 기계 같은 것이다.

이제 남은 일은 이런 환상의 만에서 간접적인 상상이 차지하는 부분, 다시 말해 대중문화이든 또 다른 형태의 전통이든 문화에 의해 제공되는 이미지들을 분명히 밝히는 것이다. 이 문제는 또 다른 문제를 내포한다. 우리가 일컫는 '이미지 문화' 속에서 개인의 상상력의 미래는 어떻게 될 것인가 하는 문제이다. 부재하는 이미지들을 불러일으키는 힘은 미리 만들어 놓은 이미지의 홍수에 점점 더 떠밀려 가고 있는 인류에게서 계속 발전할 것인가? 옛날에는 개인의 시각적 기억이 그의 직접 경험이 남긴 유산과, 문화에 반영되어 있는 제한된 이미지의 목록에 한정되어 있었다. 개인적 신화에 형식이 부여될 가능성은 그 기억의 단편들이 예기치 않은 그리고 암시적인 접근에 의해 서로 조합되는 방식을 통해 생겨났다. 오늘날 우리는 직접 경험과 몇 초 동안 텔레비전에서 본 영상을 더 이상 구별할 수 없을 정도로 수많은 이미지의 폭격을 받고 있다. 기억은 쓰레기 하치장같이 층층이 쌓인 이미지 파편들로 뒤덮여 있다. 이곳에서는 우리가 접한 수많은 형상들 가운데 하나가 부각되기는 점점 더 어려워진다.

내가 가시성을 보호해야 할 가치의 목록에 포함했다면, 우리가 기본적인 인간 능력 하나를 상실할 위험에 처해 있음을 경고하기 위해서다. 바로 눈을 감은 채 환상에 초점을 맞출 수 있는 능력, 하얀 종이에 배열된 검은 글자들에서 색깔과 형태 들이 생겨나게 할 수 있는 능력, 이미지들을 통해 생각할 수 있는 능력이다. 나는 지금 우리 자신의 내면의 환상을 통제하는 습관을 들이는 실행 가능한 상상력 교육을 생각하고 있다. 내면의 환상을 질식시킨다든지 혼란스럽고 덧없는 공상에 빠지게 한다든지 하는 일이 없도록 하지만, 또 한편 그 이미지들이 잘 정의된, 기억될 만한, 자족적인 '생생한' 형태로 결정화되도록 통제하는 습관을 들이는 교육이다.

물론 여기서 말하는 교육은 우리가 우리 자신에게만 훈련시킬 수 있는 것으로서 그때그때 고안한 방법이 쓰이고 예측할 수 없는 결과를 낳는다. 내가 경험한 최초의 교육은, 비록 아직 초보 단계에 있고 현대의 인플레이션과 거리가 멀긴 했지만, 벌써 '이미지 문화'의 아들로서 했던 경험이다. 나를 과도기의 아들이라고 말하자. 책, 어린이 주간지, 장난감 속에 등장하는 컬러 삽화들이 어린 시절을 친구처럼 따라 다니면서 아주 중요한 역할을 했던 시기 말이다. 나는 내가 그런 시대에 태어나서 나의 인격 형성에 깊은 흔적이 남겨졌다고 믿고 있다. 나의 상상 세계에 맨 처음 영향을 준 것은, 당시 어린이들을 위한 만화 주간지로서 가장 널리 읽혔던 〈코리에레 데이 피콜리*Corriere dei Piccoli*〉의 인물들이었다. 나는 지금 세 살부터 열세 살에 이르는 내 인생의 한 시기를 말하고 있는데, 영화에 대한 열정이 나를 완전히 사로잡아 청소년기를 온통 지배하게 되기 전의 일이다. 뿐만 아니라 결정적인 시기는 내가 글을 읽기 전인 세 살과 여섯 살 사이였다고 믿고 있다.

1920년대에 〈코리에레 데이 피콜리〉가 당시 아주 유명했던 미국 만화들을 이탈리아에 소개했다. 〈해피 훌리건*Happy Hooligan*〉 〈카첸야머 키즈*the Katzenjammer Kids*〉 〈고양이 펠릭스*Felix the Cat*〉 〈매기와 지그스*Maggie and Jiggs*〉 등인데, 모두 이탈리아 이름으로 바뀌었다. 그리고 이탈리아 만화 시리즈들도 있었는데, 당대의 그래픽 취향과 스타일로 볼 때 최고 수준을 보여주는 것들도 있었다. 당시 이탈리아에서는 말풍선이 아직 사용되지 않았다(30년대에 미키 마우스가 수입되면서 사용되기 시작했다). 〈코리에레 데이 피콜리〉에서는 미국 만화를 말풍선 없이 다시 그렸는데, 만화 그림 밑에 운율을 맞춰 쓴 2~4줄의 글이 말풍선을 대신했다. 어쨌든 글을 읽을 줄 몰랐던 나는 그림들만으로도 충분했기 때문에 대화가 있건 없건 아무 상관이 없었다. 나는 내가 태어나기도 전에 벌써 어머니가 사 모아서 해마다 제본해 놓은 주간지와 함께 살다시피 했다. 모든 만화 시리즈들을 하나하나 훑어보면서 시간을 보냈다. 그러는 동안 여러 가지 방법으로 장면들을 해석하면서 마음속으로 나 자신에게 이야기를 들려주었고, 변형체들을 만들어냈으며, 더 많은 이야기 속에 개별 이야기들을 섞어 넣었고, 모든 시리즈에서 지속적으로 등장하는 요소들을 발견하고 분리하고 연결했으며 시리즈들을 혼합하고 조연들이 주인공이 되는 새로운 시리즈를 상상하곤 했다.

내가 읽기를 배웠을 때 얻은 이익은 거의 없었다. 같은 압운이 2행 연속되는 너무나 단순한 구절들은 빛을 던지는 정보를 전혀 제공하지 않았다. 때로는 직감에 의존해야 했던 나의 해석과 거의 다름이 없기도 했다. 운문으로 고쳐 쓰는 사람이 만화 원본의 말풍선에 적혀 있는 내용을 조금도 모르고 있었음이 분명했다. 그가 영어를 몰랐거나 이미 다시 그려져 있던 대사 없는 만화에 작업을 했기 때문일 것이다. 어쨌든 나는 글로 쓰인 행들을 무시하고 그림들 안에서, 그것들의 연속선에서 공상하는 취미를 계속 더 즐겼다.

이러한 습관으로 인해 두말할 것도 없이 글에 집중하는 능력의 습득이 늦어졌다(글을 읽는 데 필요한 집중력은 아주 늦게, 많은 노력을 기울인 뒤에야 갖추게 되었다). 하지만 말이 없는 그림을 읽는 일은 확실히 이야기 꾸며내기, 스타일 만들기, 이미지 합성에 유익한 훈련이 되었다. 예를 들면, 깜깜한 하늘에 떠 있는 보름달 아래로 사라져 가는 길 위에 서 있는 고양이 펠릭스의 검은 실루엣을 네모난 만화 칸에 그려 넣은 팻 오설리번의 우아한 그래픽은 나에게 하나의 본보기로 남아 있다고 생각한다.

내가 나이가 들어서 했던 작업, 곧 타로 카드의 동일한 형상을 매번 다르게 해석하면서, 신비한 형상들에서 이야기를 끌어낸 작업은 분명 그림들로 가득 찬 페이지들 위에서 펼쳤던 어린 시절의 공상에 뿌리를 두고 있다. 내가 『교차된 운명의 성』에서 타로 카드뿐만 아니라 훌륭한 그림들을 가지고 시도했던 것은 일종의 환상의 도상학圖像學이다. 사실 나는 성 게오르기우스[3]와 성 히에로니무스[4]의 일대기가 마치 하나의 이야기, 한 개인의 삶이라도 되는 양 그것들을 따라가면서, 베네치아의 산 조르조 델리 스키아보니에 소장된 카르파초[5]의 그림들을 해석해보고, 게오르기우스-히에로니무스의 인생과 나의 인생을 동일시해보려고 애썼다. 이 환상의 도상학은 그림에 대한 나의 커다란 열정을 표현하는 습관적인 방법이 되었다. 나는 예술사의 이름 있는 그림들 혹은 내게 암시를 주는 그림에서 출발해서 내

3 — 초기 기독교 순교자. 인간 제물을 요구하는 용을 물리친 기사로 유명하다. 기사와 군인의 수호신.

4 — 347~420, 기독교의 성직자이자 신학자. 라틴어 번역 성경인 불가타 성경의 번역자.

5 — 1460~1527, 비토레 카르파초. 르네상스 시대 베네치아 화파의 화가.

이야기를 들려주는 방법을 택했다.

이제 우리는 다양한 요소들이 문학적 상상력의 가시적 부분을 형성하는 데 협력하고 있다고 말할 수 있다. 곧 현실 세계에 대한 직접 관찰, 환영이나 꿈 같은 변용變容, 다양한 차원의 문화가 전해준 상징 세계, 그리고 사고를 시각화하는 데서도 언어화하는 데서도 결정적으로 중요한 감각적 경험의 추상화, 농축화, 내면화 과정과 같은 요소들이 있다.

이런 요소들은 어느 정도까지는 내가 본보기로 인정한 작가들에게서, 특히 가시적 상상력에 호의를 보였던 시대, 곧 르네상스와 바로크 시대의 문학과 낭만주의 시대의 문학에서 나타난다. 19세기의 환상적 이야기에 대해, 내가 만든 선집에서 나는 호프만, 샤미소, 아르님, 아이헨도르프, 포토츠키, 고골, 네르발, 고티에, 호손, 포, 디킨스, 투르게네프, 레스코프의 이야기에서 분출하여 스티븐슨, 키플링, 웰스에게 이르는 공상적이며 화려한 기질을 따랐다. 이러한 기질과 병행하여 다른 기질도 따랐는데, 때로는 이 두 가지가 같은 작가에게서 나타났다. 바로 일상에서 환상성을 분출시키는 것인데, 이는 내면화된, 정신적인, 보이지 않는 환상성으로서 헨리 제임스에게서 절정을 이룬다.

미리 만들어 놓은 이미지들의 인플레이션이 점점 심해질 2000년대에 환상문학은 존재할 수 있을까? 우리가 지금부터 열려 있다고 보는 길은 두 갈래가 될 수 있다. 1) 이미 사용한 이미지를 새로운 맥락에 두고 거기서 의미가 바뀌게 함으로써 재활용하는 것이다. 포스트모더니즘은 매스미디어의 허구적 이미지들을 풍자적으로 이용하려고 하는 경향으로 간주될 수 있다. 또는 문학 전통에서 물려받은 경이로운 것에 대한 취향을, 낯설게 하기를 강조하는 서사 메커니즘에 도입하려는 경향으로도 볼 수 있다. 2) 아니면 0에서 다시 출발하기 위해 공백을 만드는 것이다. 사뮈엘 베케트는 마치 종말을 맞은 뒤의 세상에 있는 것처럼 시각 요소와 언어를 극도로 줄이면서 아주 독특한 결과를 얻어냈다.

어쩌면 이런 모든 문제들이 동시에 드러난 최초의 텍스트는 발자크의 『미지의 걸작』일 것이다. 그리고 우리가 예언적이라고 말할 수 있는 통찰력이 발자크에게서 나왔다는 것은 우연이 아니다. 발자크는 문학사의 어떤 매듭에, 다시 말해 때로는 환상적이다가 때로는 사실적인, 또 어떤 때는 두 가지가 함께하는 '경계'에 위치해 있었는데, 항상 자연의 힘에 이끌렸던 것 같지만 또 항상 자신이 하고 있는 일을 잘 인식하고 있었다.

발자크가 1831년부터 1837년에 걸쳐 작업했던 『미지의 걸작』은, 처음에는 "환상 콩트"conte fantastique라는 부제가 달려 있었지만 결정판에서는 "철학 연구"étude philosophique로 바뀐다. 그 중간에서—다른 이야기에서 발자크 자신이 밝혔듯이—"문학이 환상을 죽였다"고 말하게 된다. 이 이야기의 초판(1813년 잡지에 발표되었다)에서는 색채의 혼돈, 무형의 안개 속에서 여자 다리 하나가 솟아 나와 있는, 노화가 프렌호퍼의 완벽한 그림을 두 동료 푸르뷔스와 니콜라 푸생이 이해하고 감탄한다. "이 작은 캔버스에 얼마나 많은 환희가 담겨 있는지!" 심지어 그것을 이해하지 못하는 모델도 어느 정도 감동을 받는다.

둘째 판(발행 연도는 같은 1831년인데 책으로 발표되었다)에서는 몇 마디를 덧붙여 두 동료의 몰이해를 보여준다. 프렌호퍼는 여전히 자신의 이상을 위해 살아가는 계몽된 신비주의자이지만 운명적으로 고독하다. 1837년에 발표된 결정판은 그림에 관한 기법상의 반성을 담은 페이지들이 여러 장 덧붙여지고, 프렌호퍼 자신이 걸작이라고 칭하는 그림과 함께 자취를 감추었다가 작품을 불태우고 자살하게 될 광인임을 분명히 보여주는 결말 부분이 덧붙여진다.

『미지의 걸작』은 현대 예술의 발전에 관한 비유로 여러 번 언급되었다. 최근의 관련 연구로서 위베르 다미쉬의 논문(『카드뮴 옐로 창문*Fenêtre jaune cadmium*』, Seuil, 1984에 포함됨)을 읽으면서 나는 발자크의 소설이 문학에 관한 비유로도 읽힐 수 있다는 것을 깨달았다. 언어 표현과 감각 경험 사이의 메울 수 없는 간격에 관한 비유, 포착할 수 없는 가시적 상상력에 관한 비유로도 읽힐 수 있다는 것을 말이다. 초판에는 환상을 정의할 수 없는 것으로 정의한 진술이 담겨 있다. "이 모든 특이한 것들을 현대의 언어로 표현하자면 '그건 말로 정의할 수 없었다'라는 단 한 문장밖에 없다… 훌륭한 표현으로 환상문학을 요약해주는 말이다. 우리 정신의 한정된 지각력을 벗어나는 모든 것을 말해준다. 이것을 독자의 눈앞에 갖다 놓으면, 독자는 상상의 공간 속으로 빠져든다…."

그후 발자크는, 모든 것을 신비적으로 인식하는 예술이라고 생각해 왔던 환상문학을 거부하고, 언제나 삶의 비밀을 표현할 수 있다고 확신하면서 세계를 있는 그대로 세밀하게 묘사하는 일에 착수한다. 발자크가 프렌호퍼를 예언자로 만들어야 할지 미치광이로 만들어야 할지를 두고 오랫동안 주저했던 것처럼, 그의 이야기는 아주 깊은 진실을 내포하는 모호성을 계속 지니고 있다. 예술가의 환상은 어떤 작품도 실현하지 못하는 잠재적 가능성의 세계이다. 우리가 살면서 경험하는 세계는 다른 형태의 질서와 무질서에 상응하는 또 다른 세계이다. 캔버스에 쌓이는 색채의 층처럼 페이지에 쌓이는 언어의 층 역시 또 하나의 세계이다. 이 세계 역시 무한하긴 하지만 더 쉽게 통제될 수 있으며 어떤 형식에 순응하기를 거부하는 정도가 덜하다. 이 세 가지 세계 사이의 관계는 발자크가 말한 대로 정의할 수 없는 관계이다. 아니 더 정확히 말하자면, 어떤 무한한 전체가 다른 무한한 전체들을 내포하고 있다는 역설처럼 결정될 수 없는 관계라고 할 수 있을 것이다.

작가는—내가 말하는 작가는 발자크처럼 무한한 야심을 가진 작가이다—자신의 상상력의 무한함이나 일어날 수 있는 우연한 일의 무한함을, 혹은 두 가지 모두를, 글쓰기의 언어적 가능성의 무한함과 얽히게 하는 작업을 수행한다. 어떤 이들은 개인의 삶은 탄생에서 죽음에 이를 때까지 오로지 유한한 양의 정보만을 담을 수 있다고 이의를 제기할지도 모르겠다. 어떻게 개인의 상상력과 개인의 경험이 한계를 넘어서 확대될 수 있느냐고 말이다. 그런데 나는 무수한 것들이 일으키는 현기증에서 달아나려는 이러한 시도는 헛된 것이라고 믿고 있다. 브루노는 작가에게 형식과 형상 들을 만들 수 있게 해주는 "환상하는 정신"은 바닥없는 샘물과 같다고 설명했다. 그리고 외적인 현실에 대해 말하자면, 발자크의 『인간 희극』은 글로 쓰인 세계는 살아 있는 세계, 곧 오늘, 어제, 그리고 내일의 세계와 일치하도록 구성될 수 있다는 가정에서 출발한다.

환상 작가 발자크는 상상할 수 있는 무한한 형상들 가

운데서 단 하나만을 가지고 세계정신을 포착하려고 애썼다. 하지만 그렇게 하기 위해서는 글로 쓴 말에 강렬함을 실을 수밖에 없었는데, 프렌호퍼 그림의 색채와 선처럼 너무나 강렬해서 그 말은 바깥 세계를 더 이상 지시할 수 없을 정도였다. 이러한 한계점에 도달하자 발자크는 멈추어 애초의 계획을 바꾸게 된다. 이제 그의 글쓰기는 더 이상 강렬하지 않고 폭넓은 외연을 지니게 된다. 사실주의 작가 발자크는 군중들과 삶과 이야기들로 뒤덮인 시간과 공간의 무한한 영역을 글쓰기로 덮으려고 애쓰게 될 것이다.

하지만 호프스태터가 괴델의 역설을 설명하기 위해 인용한 에셔의 그림들에서 일어나는 일은 사실로 검증될 수 없는 것일까? 미술관에서 한 남자가 어떤 도시의 풍경화를 바라보고 있다. 그런데 이 풍경화는 열려 있어서 풍경화와 그것을 바라보는 남자가 있는 미술관도 그 안에 포함된다. 무한한 인간 희극 속에 있는 발자크는 현재의 자기 자신이거나 과거의 자기 자신이었던 환상적 작가도 그의 무한한 환상 전부와 함께 포용해야 할 것이다. 그리고 지금 자기 자신이거나 앞으로 되고 싶어 하는 사실주의 작가, 곧 그의 『인간 희극』에서 무한한 현실 세계를 포착하려고 애쓰는 사실주의 작가를 포용해야 할 것이다. (어쩌면 사실주의자 발자크의 내면세계를 포용하는 것은 환상주의자 발자크의 내면세계인지도 모른다. 환상주의자 발자크의 무한한 환상들 중의 하나가 『인간 희극』의 사실적인 무한과 일치하기 때문이다.)

어쨌든 모든 '현실'과 '환상'은 글쓰기를 통해서만 형식을 취할 수 있고, 글쓰기 속에서는 외면성과 내면성, 세계와 나, 경험과 환상이 같은 언어 재료로 구성된 것 같아 보인다. 눈과 정신에 의한 갖가지 이미지들은 대문자나 소문자, 마침표, 쉼표, 괄호로 이루어진 똑같은 형태의 행들 속에 들어 있다. 모래알처럼 촘촘히 늘어선 기호의 페이지들은 사막의 바람에 움직이는 모래 언덕들처럼 언제나 똑같으면서도 언제나 다른 표면에 자리 잡은 세상의 다양한 광경들을 표현한다.

5강

다양성

Molteplicità

어떤 책의 인용으로 시작하도록 하자.

역청처럼 윤이 나고 아스트라한 양털처럼 곱슬곱슬한 가발의 검은 정글 밑에서 침묵과 꿈을 먹고 살아가는 것처럼 보이는 인그라발로 씨는, 자신의 지혜와 몰리세[1]인이라면 누구나 겪는 가난을 통해, 남자들의 문제와 여자들의 문제에 대한 이론적인 생각(물론 일반적인 생각이다)을 발표하기 위해 가끔씩 자신의 침묵과 꿈을 깨고 나왔다. 처음 보면, 아니 처음 들으면 그런 생각들은 진부하게 느껴졌지만 사실은 그렇지 않았다. 성냥불을 켤 때 갑자기 탁탁 소리가 나듯 그의 입에서 재빠르게 나온 말들은 발언 몇 시간 혹은 몇 달 뒤, 마치 신비한 부화의 시기가 지난 것처럼 사람들의 고막에서 되살아났다. "맞아!" 하고 문제에 관계된 사람은 인정했다. "인그라발로 씨도 내게 그렇게 말했지." 인그라발로 씨는 예기치 못한 파국들은 사람들이 흔히 말하는 단 하나의 원인, 오로지 하나의 동기에 의한 결과나 영향이 절대 아니라고 주장했다. 오히려 그런 파국들은 응집력 있는 수많은 원인들 전부를 끌어

1 — 이탈리아 남부의 한 주州.

들이는 세상의 의식 속에서 일어나는 소용돌이, 열대성 저기압의 한 지점과 같은 것이다. 그는 매듭, 얽힘, 혼란, 혹은 로마 사투리로 실타래gomitolo를 뜻하는 '뇸메로'gnommero라는 말을 쓰기도 했다. 하지만 법률 용어인 '원인들, 원인'은 거의 그의 의지와는 반대로 그의 입에서 우선 새어 나왔다. 우리가 아리스토텔레스나 이마누엘 칸트 같은 철학자들에게 전해 받은 "원인의 범주의 의미를 우리 스스로 수정하"고 원인을 원인들로 대체할 필요가 있다는 견해는 오랫동안 그의 생각의 중심이었다. 이런 생각은 거의 강박관념이 되었다. 이 강박관념은, 두텁지만 약간 하얀 그의 입술에서 발산되었다. 입술의 한쪽 구석에 매달려 있는 꺼진 담배꽁초는 나른한 시선과 씁쓸하기도 하고 회의적이기도 한 냉소에 가까운 미소를, "오래된" 습관 때문에 졸음이 가득 담긴 듯한 이마와 눈썹, 역청같이 검은 가발 아래에서 짓곤 하던 미소를 동반하는 듯했다. 그렇게, 바로 그렇게 그는 '자신의' 범죄들을 저질렀다. "그들이 나를 부를 때는!… 맞아요. 그들이 나를 부르면… 무슨 문제가 있다고 당신은 믿으셔도 됩니다. 해결해야 할… 어떤 '류옴메로'gliuommero가… 있다고 말입니다…"라고 그는 나폴리 방언, 몰리세 방언, 그리고 이탈리아어를 뒤섞어서 말했다.

명백한 원인, 주된 원인은 물론 하나였다. 하지만 범죄는 한 무리의 원인들 전체에서 나온 결과인데, 그 원인들은 회오리바람(풍향 배치도의 열여섯 방향의 바람들이 열대성 저기압의 회오리바람 속으로 뒤얽힐 때처럼)으로 범죄에 불어닥쳤고, 결국에는 범죄의 소용돌이 속에서 쇠약해진 '세계의 이성'을 목 조르고 말았다. 마치 닭의 목을 잡고 비트는 것처럼 말이다. 그때 그는 "당신은 원하지 않는 곳에서 치마들을 찾을 거요"라고 말하곤 했지만 약간 피곤한 말투였다. "여자를 찾다"cherchez la femme라는 진부한 표현을 때늦게 이탈리아어로 고쳐 말한 것이었다. 그러고 나서는 마치 여자들을 모욕하기라도 한 듯이 뉘우치는 것 같았고, 생각을 바꾸려고 하는 듯했다. 하지만 그렇게 되자 궁지에 몰린 것 같았다. 그래서 너무 많은 말을 한 것을 걱정이라도 하듯이 생각에 잠겨 입을 다물어버렸다. 그는 어떤 애정의 동기, 애정의 정도, 아니 현재의 말투로 하자면, 애정의 양, 어떤 '성性의 총량'은 '흥미 있는 경우들'과, 겉으로 보기에는 사랑의 열정과는 아주 거리가 먼 범죄들과 뒤섞인다는 말을 하고 싶었다. 그의 직관을 몹시 시기했던 몇몇 친구들, 당시의 수많은 악에 대해 아주 잘 알고 있던 몇몇 신부들, 어떤 하급 장교, 안내원, 상관들은 그가 이상한 책들을 읽었다고 주장했다. 아무런 의미도 없거나 거의 아무것도 말해주지 않지만 순진한 사람들이나 무식한 사람들을 현혹시키기 위해 다른 말들보다 훨씬 더 많이 사용되는 많은 말들을 그 책에서 끌어냈다고 주장했다. 그 말들은 약간 상식에 어긋나는 것들, 정신과 의사들이 사용하는 용어들이었다. 실제 행동에서는 다른 것이 필요하다! 관념들과 철학자인 체하는 태도는 학술서의 저자들에게 넘겨주어야 한다. 경찰서와 기동대의 실제 행동은 전혀 다른 문제에 속한다. 많은 인내심과 자비심, 그리고 튼튼한 위장도 필요하다. 그리고 이탈리아인들의 모든 오두막을 뒤흔들지 않으려면 책임감과 확실한 결정, 시민의 절제가 필요하다. 그렇다, 그렇다. 그리고 뚝심도 필요하다. 이렇게 정당한 반론에 그는, 돈 치치오는 전혀 동의하지 않았다. 계속 선 채로 잠을 잤고 배 속은 텅빈 채 철학자인 체했고 자꾸만 꺼져버리는 반쯤 남은 담배를 피우는 척했다.

여러분이 방금 들은 구절은 카를로 에밀리오 가다의 소설 『메룰라나가街의 끔찍한 혼란*Quer pasticciaccio brutto de via*

Merulana』의 첫 부분이다. 이런 인용으로 강의를 시작한 이유는 이번 강의 주제를 아주 훌륭하게 이끌어낼 수 있으리라 생각했기 때문인데, 그 주제는 현대소설을 백과사전으로, 인식의 방법으로, 그리고 무엇보다 사건들, 사람들, 세계의 사물들의 관계로 보는 것이다.

나는 우리 시대 소설의 이러한 소명을 예증하기 위해 다른 작가들을 선택할 수도 있었다. 내가 가다를 선택한 것은 상대적으로 별로 알려지지 않은 이탈리아 작가이기(특이하고 복잡한 문체 때문에 그는 이탈리아인에게도 어려운 작가이다) 때문이기도 하지만, 무엇보다 세상이란 그 안에 있는 모든 개별적인 체계가 다른 체계들을 조건 지우고 그로부터 조건 지워지는 "체계들의 체계"라고 생각하는 그의 철학이 나의 논의에 아주 잘 들어맞기 때문이다.

가다는 전 생애 동안 세상을 혼란, 혹은 뒤얽힘, 혹은 실타래로 표현하려고, 얽혀서 풀릴 수 없는 복잡성을 전혀 완화시키지 않고 세상을 표현하려고, 좀 더 정확히 말하자면 응집되어 모든 사건을 결정짓는 아주 이질적인 요소들이 동시에 존재하는 상황을 말하려고 애썼다.

가다는 지적인 훈련을 통해, 작가의 기질과 노이로제를 통해 이런 이미지를 이끌어냈다. 지적인 면에서 보면, 가다는 과학적인 교양, 기술적 능력, 그리고 진정한 철학적 열정을 갖춘 엔지니어였다. 가다는 철학적 열정을, 이렇게 말해도 된다면, 비밀스럽게 간직했다. 그가 사망한 뒤 발견된 원고들에는 스피노자와 라이프니츠에 토대를 둔 철학 체계에 관한 초고가 들어 있었다. 작가로서 가다는—이탈리아에서는 제임스 조이스와 거의 대등한 위치에 있는 작가로 간주된다—그의 복잡한 인식론에 부합하는 문체, 고상하거나 상스러운 다양한 차원의 언어들과 어휘들이 중첩될 수 있는 문체를 창안해냈다. 노이로제 환자로서 가다는 고뇌와 강박관념에 사로잡혀 쓰고 있는 페이지 속에 자신의 모든 것을 던져 넣는다. 그래서 종종 계획된 작품이 사라져버리고, 세부 사항들이 점점 커져 그림을 뒤덮어버린다. 탐정소설이 되었어야만 할 이 소설은 아무런 해결책 없이 끝나버린다. 그의 모든 소설은 불완전한 상태 혹은 단편적인 상태로 남아 있는데, 마치 화려함의 흔적들과, 세심한 주의를 기울여 탄생시킨 흔적들을 간직하고 있는 야망에 찬 계획들의 잔해 같다.

가다의 백과사전적 지식이 어떻게 완전한 구성에 이르는지를 평가하려면 아주 짧은 텍스트들을 살펴볼 필요가 있는데, 예를 들면 「밀라노식 리조토 요리법」이 있다. 이 글은 아직 일부분이 껍질("과피")에 덮여 있는 벼 낟알들, 사용하기에 가장 적당한 냄비들, 사프란, 요리의 다양한 단계들을 묘사하는 방법 때문에 이탈리아 산문과 실용 지식의 걸작으로 꼽힌다. 이와 유사한 또 다른 텍스트는, 집을 지을 때 철근 콘크리트와 속이 빈 벽돌을 사용해서 열과 소음을 차단하지 못하는 건축 기술을 다룬다. 뒤이어 그 현대식 건물 안에서 사는 삶과 이웃에서 들려오는 모든 소음에 대한 강박관념을 그로테스크하게 묘사한다.

가다가 쓴 소설들의 모든 에피소드와 마찬가지로 짧은 텍스트들에서도 아주 작은 모든 물체가 관계망의 중심으로 여겨지는데, 작가는 세부 사항들을 배가시켜서 자신의 묘사와 주제를 벗어난 이야기들이 무한에 이르게 하며 그 관계망을 따라다니는 일을 멈출 줄 모른다. 출발 지점이 어디든 이야기는 점점 더 넓은 영역들을 포함하게 되며, 각 방향으로 계속 전개되어 나갈 수 있다면 전 우주를 포용하게 될지도 모른다.

각각의 물체에서 출발하여 뻗어 나가는 이 망을 가장 뛰어나게 보여주고 있는 것은 『메룰라나가의 끔찍한 혼란』의 9장에서 도난당한 보석들을 되찾는 에피소드이다. 작가는 각 보석이 맺는 관계들, 곧 지질학적 역사와 화학적 구성, 역사적, 예술적 기준과 가능한 모든 용도들, 그것들이 불러일으키는 이미지의 조합들과 맺는 관계들을 이야기한다. 가다의 글쓰기에 내포된 인식론에 대한 중요한 비평문

(잔 카를로 로시오니의 『계획된 부조화*La disarmonia prestabilta*』, Einaudi, 1969)은 보석에 관한 다섯 페이지 분량의 분석으로 시작한다. 그곳에서 시작하면서 로시오니는, "그 속에 모여 있는 과거와 현재의, 현실의 관계 혹은 무한히 가능한 관계들"로 사물을 인식하는 가다가 어떻게 모든 것을 정확히 명명하고, 묘사하고, 공간과 시간 속에 배치하기를 요구하는지 설명한다. 이는 말이 지니는 의미의 잠재력을, 다시 말해 함축적인 의미와 뉘앙스를 지닌 모든 종류의 어형과 구문 형식들 그리고 이것들의 배열이 허락하는 종종 코믹한 효과들이 지니는 의미의 잠재력을 있는 대로 다 활용함으로써 일어난다.

광적인 절망의 순간들이 담긴 그로테스크한 코믹성은 가다의 시각을 특징짓는다. 관찰은 관찰 대상이 되는 현상에 개입하여 그것을 어떤 식으로든 변화시킨다는 이론을 과학이 공식적으로 인정하기 전에 벌써 가다는 "안다는 것은 현실에 무엇인가를 삽입하는 것이다. 그러니까 현실을 변형하는 것이다"라는 점을 알고 있었다. 이로부터 항상 변형하는 그의 전형적인 표현 방식이 나오고, 그가 언제나 자신과 표현된 사물들 사이에 설정해 놓은 긴장이 생겨나는 것이다. 그래서 눈앞에서 세상이 비틀어져 가면 갈수록 작가의 자아는 점점 더 이 과정에 휘감겨 들어가 자기 자신이 비틀어지고 혼란에 빠진다.

그래서 세상의 객관성을 이야기하던 가다는 지식에 대한 열정으로 인해 자신의 과장된 주관성을 언급하게 된다. 자신을 사랑하지 않는, 아니 증오하는 한 인간에게 이것은, 그의 소설 『고통에 대한 인식*La cognizione del dolore*』에서 자세히 표현되었듯이, 무시무시한 고문이다. 이 책에서 가다는 나라는 대명사, 아니 생각의 기생충들인 모든 대명사를 향해 심한 독설을 퍼붓는다. "… 나, 나! … 모든 대명사들 가운데 가장 더러운 대명사! … 대명사들! 이것들은 생각의 이다. 생각에 이가 생기면, 몸에 이가 있는 모든 사람처럼 자신을 긁게 된다… 그러면 손톱 속에서… 대명사들, 곧 인칭대명사들을 다시 발견하게 된다."

모든 인식 과정의 기본 요소인 이성적인 정확성과 광적인 왜곡 사이의 긴장에 의해 가다의 글쓰기가 결정된다면, 가다와 거의 동시대 사람으로서 기술적-과학적인, 그리고 철학적인 학식을 갖춘, 역시 엔지니어인 또 다른 작가 로베르트 무질은 수학적인 정확성과 인간사의 애매모호함 사이의 긴장을 완전히 다른 글쓰기, 유창하고 풍자적이고 절제된 글쓰기를 통해 표현했다고 할 수 있다. 단 하나의 해답이 있는 수학, 이것이 바로 무질의 꿈이었다.

하지만 그[울리히]는 할 말이 더 있었지만 혀끝에서 맴돌았다. 보편적인 해답은 아니지만 개별 해답들을 허용해서 사람들이 그것들을 조합함으로써 보편적 해답에 접근하도록 하는 수학 문제들에 관한 이야기 말이다. 그는 인생의 문제를 그러한 수학 문제로 보고 있다고 덧붙여 말할 수도 있었다. 그렇다면 사람들이—여러 세기, 여러 천년기, 아니면 학교와 손자 사이의 시간으로 이해해야 할지 어떨지를 모르면서—일컫는 한 시대, 상황들이 흐르는 넓고도 조절이 안 된 이 강은 불충분하고 개별적으로 볼 때 해결에 이르려는 잘못된 시도들이 무계획적으로 연속되는 것과 거의 같은 의미를 띨 것이다. 이런 시도들에서 올바르고 전체적인 해결책이 나오려면, 인류가 그것들을 종합할 줄 알아야 할 것이다.

나는 집으로 돌아가는 전차 안에서 그것을 다시 생각해보았다.

『특성 없는 남자』, 1권 2부 83장

무질에게 있어서 인식은 상반된 두 극점의 양립 불가능성을 의식하는 것이다. 하나의 극점은 그가 한때는 정확성, 한때는 수학, 순수한 정신 혹은 군인 정신이라고 부르는 것이고, 또 다른 하나는 영혼, 비이성, 인간성, 혹은 카오스라고 부르는 것이다. 그가 알고 있는 혹은 생각하고 있는 모든 것을, 자신이 소설 형식을 보존하려고 애쓰는 백과사전적 책 속에 담지만, 작품 구조는 계속 변하고 그의 손에서 분해된다. 그래서 소설을 끝낼 수 없게 될 뿐만 아니라, 분명한 테두리들 안에 어마어마한 양의 재료들을 수용하기 위해서 그것들이 일반적으로 어떤 윤곽을 가져야 하는지도 결정하지 못한다. 이 두 엔지니어-작가, 곧 이해한다는 것이 자신을 관계들의 망 속에 휩쓸려 들어가게 내버려두는 것을 의미했던 가다와, 다양한 기호 체계와 차원 속에서 자신은 말려들지 않으면서 언제나 모든 것을 다 이해하는 듯한 인상을 주는 무질을 비교하며 또 기록해 두어야 할 두 사람 모두의 공통점은 결론을 내릴 수 없는 무능력이다.

프루스트조차도 자신의 소설-백과사전이 끝나는 것을 볼 수 없었다. 하지만 『잃어버린 시간을 찾아서』의 모든 생각, 곧 시작과 끝과 전반적인 윤곽은 모두 함께 탄생했으므로 이 소설을 끝마치지 못한 이유는 설계 결함 때문이 아니라 작품 자체의 생명력 있는 체계로 인해 내부에서 농도가 짙어지고 폭이 넓어지기 때문이다. 모든 것을 연결하는 망은 프루스트의 주제이기도 하다. 하지만 프루스트에게 이

망은 모든 존재에 의해 계속 점령되는 공간-시간의 점들로 구성되어 있다. 그리고 이 존재는 공간과 시간의 차원들의 무한 증식을 허용한다. 세상은 포착할 수 없게 될 때까지 확장된다. 그리고 프루스트에게 지식은 이런 포착 불가능성이 초래하는 고통을 통해 얻어진다. 이런 의미에서 화자가 알베르틴에게 느끼는 질투심은 전형적인 인식 체험이 된다.

> 그리고 나는 사랑이 맞부딪히게 되는 불가능성을 이해했다. 우리는 육체로 포장되어 우리 눈앞에 누워 있을 수 있는 존재가 사랑의 대상이라고 상상한다. 슬프다! 사랑은 그러한 존재가 차지했었고 차지하게 될 시간과 공간의 모든 지점으로 그 존재가 뻗어 나가는 것이다. 그 존재가 그런 장소, 그런 시간과 접촉하지 않는다면 우리는 그 존재를 소유할 수 없다. 하지만 그 모든 지점을 우리가 만질 수는 없다. 혹시 그것들이 우리에게 알려졌다면 거기에 도달할 수 있었을 것이다. 하지만 우리는 그것들을 발견하지 못하고 되는대로 앞으로 나간다. 여기에 불신, 질투, 박해 들이 있다. 우리는 어리석은 여정에서 귀중한 시간을 허비하고 진실이 곁에 있음을 깨닫지도 못한 채 곁을 지나간다.

이 구절은 전화를 관리하는 성미 급한 여신들에 관한 「갇힌 여인」(ed. Pléiade, III, p.100)의 한 구절이다. 여기서 몇 페이지를 더 넘기면 최초의 비행기 쇼에 참석하게 되는데, 마찬가지로 앞의 책에서는 "예술도 그것에 의해 변한다"(같은 책, II, p.996)라고 할 정도로, 마차의 자리를 차지하면서 시간과 공간의 관계를 변화시킨 자동차들을 구경했었다. 지금 이런 말을 하는 것은 기술적 지식에 관한 한 프루스트는 내가 먼저 언급했던 두 작가-엔지니어를 부러워할 이유가 전혀 없다는 사실을 증명하기 위해서다. 『잃어버린 시간을 찾아서』에서 차츰차츰 윤곽을 보이는 현대적인 기술의 출현은 "시대의 색채"의 일부일 뿐만 아니라, 작품 형식 자체의 일부, 작품의 내적 논리의 일부, 소모되어 가는 짧은 인생에서 다양한 글쓰기 능력을 깊이 이해하고자 하는 작가의 열망의 일부이기도 하다.

나는 첫 강의를 루크레티우스와 오비디우스의 시들을 언급하며 출발했고, 그렇게 다른 두 책 속에 들어 있는 전체와 전체의 무한한 관계들의 체계를 보여주는 모델에서 출발했다. 이번 강의에서는 과거의 문학에 대한 언급은 최대한 줄일 수 있으리라 생각한다. 진행 중이거나 잠재해 있는 관계들의 다양성을 표현하려는 오랜 열망을 담은 과거의 문학이 어떻게 우리 시대에 나타났는지를 보여주는 정도면 충분할 것이다.

지나친 야망이 담긴 계획들은 많은 활동 영역에서 비난받을 수 있지만 문학에서는 그렇지 않다. 문학은 모든 실현 가능성을 넘어서 측량할 수 없는 대상들에 접근할 경우에만 살아남는다. 시인이나 작가들이 다른 누구도 감히 상상할 수 없는 모험에 찬 일에 착수하는 경우에만 문학은 계속해서 제 기능을 할 수 있을 것이다. 과학이 보편적인 설명들을 불신하고, 어떤 분야에 제한되지 않고 전문화되지 않은 해결책들을 불신할 때부터, 문학의 위대한 도전력은 다양한 지식과 다양한 기호 체계들을 세계의 다채로운, 다면적인 전망 속에 모두 엮어낼 수 있게 된다.

자신의 야심찬 계획에 한계를 그을 수 없었던 작가는 분명 괴테였을 것이다. 그는 1780년에 "우주에 관한 소설"을 구상하고 있다는 사실을 샤를로테 폰 슈타인에게 털어놓는다. 우리는 괴테가 어떻게 해서 그런 생각을 구체화하게 되었는지 거의 아는 바가 없다. 하지만 우주 전체를 담을 수 있는 문학 형식으로 소설을 선택한 것은 이미 미래를 담은 행위가 된다. 거의 같은 시대에 리히텐베르크는 이렇게 썼다. "나는 텅 빈 공간에 대한 시는 숭고한 것이라고 믿는다." 우주와 공간. 나는 다시 이 두 용어를 살펴보려 하는데, 우리는 문학의 목표점이 이 두 용어 사이에서 동요하는 것을 보게 되며 종종 이 두 용어는 동일시되기도 한다. 나는 한스 블루멘베르크의 놀라운 책 『세상 읽기의 가능성*Die Lesbarkeit der Welt*』(il Mulino, 1984)에서 괴테와 리히텐베르크에 대한 언급을 찾아냈다. 책의 마지막 장에서 작가는 어떤 때는 '백과사전'처럼 보이고 또 어떤 때는 '성경'으로 보이기도 하는 "완전한 책"을 쓰려는 의도를 가진 노발리스에서부터, 『코스모스*Kosmos*』를 통해 "물리적 우주에 대한 묘사"라는 자신의 계획을 끝마치려는 훔볼트에 이르는 이 야망의 역사를 추적한다.

내 주제와 깊은 관련이 있는 블루멘베르크 저서의 한 장章의 제목은 말라르메와 플로베르에 대해 쓴 '세계의 공허한 책'이다. 자신의 시를 통해, 비교할 수 없는 투명한 형식을 무無에 부여하는 데 성공했던 말라르메가 인생의 말년을, 우주의 궁극적 목적이 되는 완전한 책에 대한 계획에, 그가 흔적을 모두 없애버렸던 미스터리한 작업에 바쳤다는 사실에 나는 늘 매혹되었다. 마찬가지로 1852년 1월 16일 루이즈 콜레Louise Colet에게 "내가 원하는 것은 무에 관한 책이다"라고 편지에 적은 플로베르가 최고의 백과사전적 소설인 『부바르와 페퀴셰*Bouvard et Pécuchet*』를 쓰는 데 말년을 바쳤다는 데 항상 매료된다.

『부바르와 페퀴셰』는 비록 19세기 과학주의 시대의 두

돈키호테에 의해 이루어진 보편 지식에 대한 감상적이고 유쾌한 항해를 조난의 연속으로 표현하기는 하지만, 오늘밤 내가 검토하고 있는 소설들의 진정한 시조임이 분명하다. 순진한 두 독학자에게는 모든 책이 하나의 세계를 열어 보인다. 하지만 이 세계들은 서로 배타적이거나, 자체 모순 때문에 있을 수도 있는 모든 확실성을 파괴하는 세계들이다. 이 세계에 많은 열의를 기울이기는 하지만, 두 필사자에게는 일종의 주관적인 능력, 간단히 말하면 책에서 배울 수 없는 재능이 결여되어 있다. 그러한 능력과 재능을 통해서만 사람들은 기본 개념을 자신들이 원하는 실천에, 혹은 거기에서 끌어내고 싶어 하는 무상의 기쁨에 적용할 수 있는데 말이다.

부바르와 페퀴셰가 세계 이해를 포기하고, 필사자의 운명을 체념적으로 받아들이고, 전 세계 도서관의 책들을 필사하는 일에 삶을 바치기로 결정함으로써 미완성으로 끝나는 소설의 결말을 어떻게 이해할 수 있을까? 우리는 부바르와 페퀴셰의 경험에서 백과사전과 무無는 서로 결합된다는 결론을 내려야만 하는 걸까? 하지만 이 두 인물 뒤에는 매 장마다 그들의 모험에 자양분을 주기 위해, 모든 분야의 지식에 대한 역량을 길러 나가야만 하고, 자신의 두 주인공이 파괴할 수 있는 과학의 건물을 세워야만 하는 플로베르가 있다. 그래서 그는 농업과 원예, 화학, 해부학, 의학, 지질학 따위의 개요서들을 읽는다. 1873년 8월의 한 편지에서 이런 목적으로 주를 달아 가면서 194권의 책을 읽었다고 쓴다. 1874년 6월에는 읽은 책이 벌써 총 294권에 달했다. 5년 후에는 졸라에게 이렇게 알릴 수 있었다. "내 독서는 끝났다네. 내 소설이 완성될 때까지 다른 책을 펼치지 않을걸세." 하지만 조금 뒤에 쓴 편지에서 우리는 종교 서적 읽기에 몰두하는 플로베르를 발견하게 된다. 그뒤에는 교육학에 몰두하는데, 이 분야는 서로 다른 여러 학문의 영역을 다시 섭렵하게 만든다. 1880년 1월에는 이렇게 쓴다. "내가 내 두 친구들을 그리기 위해 얼마나 많은 책을 탐독했는지 아는가? 1500권이 넘는다네!"

그러므로 두 독학자에 관한 백과사전적 서사시는 현실에서 나란히 감행된 거대한 모험에 의해 두 배로 늘어난 것이다. 두 주인공과 똑같은 열정을 가지고, 두 주인공이 체화하려고 애썼던 모든 지식과 그들에게 배제될 모든 것에 동화되면서 우주의 백과사전 속에서 자신의 모습을 변형한 사람은 바로 플로베르 자신이다. 두 독학자들이 이용한 것과 같은 지식의 허영을 보여주기 위해 얼마나 많은 노력을 기울였을까?("과학에서의 방법의 결여에 관하여"는 플로베르가 붙이고 싶어 했던 소제목이다. 1879년 12월 16일 편지) 아니면 단순히 지식의 허영을 보여주기 위해 얼마나 많은 애를 썼을까?

다음 세기의 백과사전적 소설가 레몽 크노는 어리석음에 빠졌다고 비난받는 두 주인공을 변호하고(그들의 죄는 "절대적인 것에 푹 빠져" 있어서 반박도 의심도 받아들이지 않는다는 것이다) "과학의 적"으로 너무도 간단히 정의되고 있는 플로베르를 변호하기 위한 논문을 썼다.

크노는 이렇게 말한다. "플로베르는 과학이 회의적이고, 주의 깊고, 규칙적이고, 신중하고, 인간적이라는 정확한 범주 안에서 과학을 찬성한다. 그는 독단주의자, 형이상학자, 철학자들을 두려워한다."(『상징, 부호, 글자』)

수세기 동안 축적된 인간 지식에 대한 플로베르의 호기심과 함께 그의 회의론은 20세기의 위대한 작가들이 전유물로 여겨 온 특성들이다. 하지만 나는 그들의 경우는 적극적인 회의론이라고, 곧 여러 담론과 방법과 차원의 관계를 고집스레 설정하려는 유희와 도박이라고 말하고 싶다. 다양성을 지향하는 지식은 대부분의 작품, 곧 모더니즘이라고 불리는 작품과 포스트모던이라고 불리는 작품 모두를 연결하는 끈이며, 나는 이 끈이 모든 규범들을 벗어나서 다음 천년기에도 계속 이어지기를 바란다.

우리 세기 문화를 가장 완벽하게 소개한 책이라고 할

소설, 토마스 만의 『마의 산』을 떠올려보자. 이 세기의 '사고의 대가들'이 풀어 나갈 공통 주제들은 바로 알프스의 요양소라는 닫힌 세계에서 출발한다고 말할 수 있다. 오늘도 계속해서 논의되고 있는 이 모든 주제는 그 소설에서 예고되고 검토되었다.

20세기의 위대한 소설들에서 구체화되고 있는 것은, 어원학적으로 하나의 원 속에 세계의 지식을 모두 수용하여 사용한다는 가정하에 탄생된 명사인 백과사전enciclopedia과 분명하게 모순되는 형용사인 열린 백과사전에 대한 생각이다. 오늘날 이제 더 이상 잠재적이지 않고, 추론적이지 않고, 다양성을 지니지 않은 전체성은 생각해볼 수 없다.

언어적으로 풍부하고 다양한 형식들과 체계적이고도 통일된 사고가 한곳에 집중된 『신곡』처럼 중세 문학은 질서와 견고하고 치밀한 형식 속에서 완성된 인간 지식을 표현하는 작품들을 추구했다. 반면 우리가 아주 좋아하는 현대의 책들은 해석 방법, 사고방식, 표현 스타일 들의 다양성이 합류하고 충돌하는 가운데 탄생한다. 비록 전체적으로 아주 세세하게 설계되고 계획되었다 하더라도 문제가 되는 것은 조화로운 형태로 이루어진 작품의 영역이 아니라, 거기에서 퍼져 나오는 원심력, 편파적이지 않은 진실을 보장하는 언어들의 다수성이다. 이와 같은 사실은 중세를 많이 언급하는 위대한 작가, 단테의 신봉자이며 신학적 인식(비록 그 의도는 다르더라도)이 높은 T. S. 엘리엇과 제임스 조이스에 의해 증명되었다. 엘리엇은 아이러니의 가벼움으로, 현기증 나는 언어의 마법으로 신학적 체계를 용해한다. 체계적이고 백과사전적이고, 중세적인 해석법에 따라 다양한 차원에서 해석될 수 있는 작품을 구성하려던(그리고 『율리시스』의 각 장마다 인간 신체의 각 부위들, 기술들, 색깔들, 상징들과 상응하는 표를 만든) 조이스는, 무엇보다 장마다 그가 구현한 문체들, 혹은 『피네간의 경야』라는 언어의 직물에 다성多聲의 다양성을 짜 넣는 문체들의 백과사전이라 할 수 있다.

지금 내가 다양성의 사례로 쌓아 올리는 제안들을 약간 정리할 때가 된 것 같다.

하나의 목소리로 담화가 전개되고 다양한 차원에서 해석할 수 있는 작품으로 드러나는 단일한 텍스트가 있다. 여기서 창의력과 '절묘한 기술'의 1위 자리는 50페이지 분량의 소설인 『절대적인 사랑*L'amour absolu*』(1899)을 쓴 알프레드 자리에게 돌아간다. 이 소설은 1) 형이 집행되기 전날 밤 감방에서 형 집행을 기다리는 사형수, 2) 불면증으로 고생하며 깜빡 잠이 들면 사형수가 되는 꿈을 꾸는 남자의 독백,

3) 예수의 이야기, 이와 같이 완전히 다른 세 가지 이야기로 읽을 수 있다.

미하일 바흐친이 플라톤으로부터 라블레와 도스토옙스키에 이르는 선조들을 더듬어 가면서 "대화체의" 혹은 "다성의" 혹은 "사육제에 어울리는"이라는 말로 수식한 모델에 따라 주체, 목소리, 세상에 대한 시선 들의 다양성을 생각하는 "나"의 단일성을 대체하는 다양한 텍스트가 있다.

우리가 무질과 가다를 통해 살펴보았듯이 가능한 한 모든 것을 담아 넣으려는 갈망 때문에 형태를 갖추지 못하고 윤곽들을 그리지 못하며, 성격상 미완성으로 남게 되는 작품이 있다.

철학에서 경구에 의해, 점과 같은 불연속적인 섬광에 의해 생겨나는, 체계적이지 않은 사고에 상응하는 작품이 문학에도 존재한다. 그리고 이제 언제 읽어도 지치지 않는 작가 발레리에 대해 언급할 순간이 되었다. 나는 몇 페이지의 에세이들, 그의 수첩에 몇 줄 적힌 주석으로 이루어진 산문에 대해 말하려 한다. "철학은 휴대할 수 있어야 한다." 그가 이렇게 말했다(XXIV, 713). 하지만 또 이렇게 말하기도 한다. "나는 완전한 현상, 다시 말해 의식, 관계, 조건, 가능성, 불가능성의 전체를 찾았고, 찾고 있으며, 앞으로도 찾을 것이다…." (XII, 722).

내가 다음 천년기에 전해지기를 바라는 가치들 중 하나는 특히 정신의 질서와 엄밀성에 대한 취향, 시의 지성, 그리고 동시에 과학과 철학의 지성을 자기 것으로 만들 수 있는 문학의 가치이다. 에세이 작가이자 산문 작가로서 발레리의 경우가 바로 이에 해당한다. (만약 내가 소설가들을 주로 이야기하는 이런 상황에서 발레리를 기억한다면, 이것은 소설가가 아니었던 발레리가, 아니 오히려 그의 유명한 말 때문에 전통적 소설을 청산한 사람으로 간주되는 발레리가 다른 사람들이 따라올 수도 없을 정도로 소설들을 제대로 이해하고 소설의 특수성을 정의했던 비평가였기 때문이다.)

소설에서, 엄격한 수정의 기하학과 연역적 추론의 추상성에 부합하는 작품들을 만들어 가면서, 상상력과 언어의 정확성에 대한 발레리의 미학 이상을 완벽하게 실현한 사람이 있다면 나는 주저 없이 보르헤스라고 말할 것이다. 내가 보르헤스를 편애하는 이유는 여기서 그치지 않는다. 다른 중요한 이유들을 열거해보겠다. 그의 모든 텍스트에는 무한함, 무수함, 영원하거나 동시적이거나 주기적인 시간과 같은 우주 혹은 우주의 특성에 대한 모델이 포함되어 있기 때문이다. 그리고 본보기가 될 만한 표현의 경제성으로 그것들을 단 몇 페이지의 텍스트에 담아 놓았기 때문이다. 종종 그의 이야기들이 민중문학의 몇몇 장르의 외적 형식, 곧 거의 신화적인 구조들이 만들어질 정도로 오래 사용되어 시험된 형식을 선택하기 때문이다. 예를 들어 시간에 관한 가장 현기증 나는 에세이 「두 갈래로 갈라지는 오솔길들의 정원」(『픽션들』)은 논리적이고 형이상학적인 이야기가 포함된 첩보소설로, 무한한 중국 소설에 대한 묘사가 담겨 있는데 모두 열두 페이지에 응집되어 있다.

보르헤스가 이 이야기에서 밝힌 가정들, 단 몇 줄에 담긴 (그리고 거의 숨겨져 있는) 가정은 이런 것이다. 먼저 정확한 시간, 거의 절대적으로 주관적인 현재에 대한 가정이 있다. "정확히, 정확히 바로 지금 모든 사람에게 벌어지고 있는 모든 일을 생각했다. 수백 년이 지나고, 현재에서만 사건들이 벌어진다. 공중에, 땅에 혹은 바다에 있는 셀 수 없는 사람들, 그리고 실제로 벌어지는 모든 일, 나에게 벌어지는 모든 일…." 그리고 의지에 의해 결정된 시간에 대한 가정이 있다. 미래는 과거처럼 되찾을 수 없는 것으로 제시된다. 그리고 마지막으로 이야기의 중심이 되는 생각이 서술된다. 이야기 속의 시간은 다양하고 가지가 붙은 것으로서 "갈래가 나거나, 한 점에 모이거나 평행을 이루는 시간들의, 점점 커 가고 어지러워지는 망"을 만들 수 있도록 모든 현재가 두 개의 미래로 나뉘게 된다. 모든 가능성이 구현할 수 있는 모든 조합을 통해 실현되는 현대적인 무한한 우주들에 대한 이러한 생각은 이야기의 주제에서 벗어난 것이 아니라 상황 그 자체가 된다. 주인공이, 첩보원의 임무를 맡은 자신에게 어리석고 혐오스러운 범죄를 저지를 권한이 있다고 느끼고, 이 일은 여러 우주 중의 한 우주에서만 벌어질 수 있는 일이며 다른 우주에서는 벌어질 수 없고, 지금 여기서 살인을 저질렀기 때문에 그와 희생자는 다른 우주에서는 친구와 형제로 만날 수 있다고 확신하기 때문이다.

그러니까 가능성들의 망에 대한 모델은 보르헤스 소설의 몇 페이지에서 집중적으로 발견할 수 있다. 이는 긴 소설들, 아주 긴 소설들을 수용하는 구조를 만들 수도 있는데, 그런 소설에서 집중의 농도는 개별적인 부분들에서 재생산된다. 하지만 오늘날에는 "짧게 글쓰기"의 규칙은, 계속 누적되고 모듈화되고 조합적인 구조를 보이는 긴 소설들에 의해서도 확인된다고 말하고 싶다.

이러한 고찰들은 내가 '하이퍼소설'이라고 부르고 『어느 겨울밤 한 여행자가』로 예시를 보여주려고 애썼던 것의 토대가 된다. 나는 열 개의 소제목에 소설의 정수를 집약해 보여주고 싶었다. 이 소제목들은 공통의 핵심을 아주 다양한 방식으로 전개하고 결정지으며, 또 그에 의해 결정되는 하나의 틀 안에서 움직인다. 이야기할 수 있는 것들에 대한 잠재적인 다양성을 표본으로 만들려는 동일한 원칙은 나의 다른 책, 『교차된 운명의 성』의 바탕이 된다. 나는 이 책이 타로 카드처럼 가능한 한 많은 의미를 가진 상징 요소들에서 출발함으로써 이야기들을 다양화하는 데 쓰이는 도구가 되어주길 원했다. 나의 기질은 나를 "짧은 글쓰기"로 이끌고 이런 구조들은 창작과 표현에 자리한 집중력을 무한한 가능성과 연결할 수 있게 해준다.

내가 '하이퍼소설'이라고 부른 또 다른 예는 조르주 페렉의 『인생 사용법*La vie mode d'imploi*』이다. 이 소설은 아주 길지만, 서로 얽히는 수많은 이야기로 구성되어(부제가 '소설들'Romans인 것은 전혀 우연이 아니다), 발자크식의 위대한 연작소설들을 읽는 기쁨을 다시 맛보게 한다.

나는 작가가 불과 마흔여섯 살에 사망하기 4년 전인 1978년에 파리에서 출판된 이 책은 소설사에서 진정 최후의 사건이 되었다고 믿는다. 이유는 여러 가지다. 무한하며 동시에 완성된 체계, 문학적 표현의 신선함, 세계의 이미지에 형식을 부여하는 지식들의 백과사전, 누적된 과거, 현기증 나는 공간으로 이루어진 현대적인 감각, 풍자와 고통의 지속적인 공존, 간단히 말하자면 구조 기획과 시의 불가해한 요소를 하나로 만든 방법 때문이다.

'퍼즐'은 플롯의 주제와 형식적인 모델을 소설에 부여한다. 다른 모델은 파리의 전형적인 주택가의 단면이다. 여기에서 모든 사건이 전개된다. 방을 묘사하는 장이 있고, 5층 아파트들이 있는데 이 아파트들에 있는 가구들과 가재도구들이 열거되고 소유권의 변화와 선조들과 자손들을 포함한 거주자의 생활들이 이야기된다. 건물은 가로세로 10×10, 즉 100개의 정사각형으로 이루어진 구조이다. 이것은 체스판으로, 페렉은 체스 말을 움직이듯이 하나의 칸(바꾸어 말하면 방이나 하나의 장章)에서 다른 칸으로 옮겨 가는데, 연속적으로 모든 칸을 건드릴 수 있게 해주는 분명한 질서를 따른다. (100장인가? 아니, 99장이다. 최고의 완성도를 추구하는 이 책은 미완성으로 보이도록 의도적으로 작은 틈새를 남겨 놓는다.)

이렇게 말할 수 있다면 이것은 그릇이다. 내용을 보면 페렉은 범주화할 수 있는 주제들의 목록들을 작성했고 비록 겨우 암시되는 정도에 그치지만, 각 장에서 모든 범주의 주제가 나타나고, 수학적인 전개에 따라 언제나 다양하게 조합할 수 있도록 결정했다. 그것의 수학적 전개에 대해서는 정의할 수 없지만 정확성은 의심하지 않는다. (나는 페렉이 소설 쓰는 일에 몰두했던 9년 동안 그와 사귀었다. 하지만 나는 그의 비밀스러운 규칙들 중의 몇 가지밖에 알 수 없었다. 이러한 주제적인 범주들은 마흔두 개 정도이다. 이것들은 문학적인 인용, 지리학적인 위치, 역사적인 자료, 가구, 물체, 모양,

색깔, 음식, 동물, 식물, 광물 들을 포함한다. 이외에 다른 것이 얼마나 들어 있는지 알 수 없고, 마찬가지로 아주 짧고 압축적인 장들에서 그가 어떻게 이런 규칙들을 준수할 수 있었는지도 알 수 없다.)

페렉은 존재의 자의성을 벗어나기 위해 자기 소설의 주인공처럼 엄격한 규율들을 자신에게 부여할 필요를 느낀다(비록 이 규율들이 나름의 자의성을 가지고 있기는 하지만). 하지만 인공적이고 기계적이라고 할 수 있는 이 시학이 결과적으로 자유와 무한히 풍요로운 창의성을 가져온다는 것은 정말 기적 같은 일이다. 이 시학이 첫 소설 『사물들』(1965)를 쓸 때부터 페렉이 열정을 쏟은 것과 일치하기 때문이다. 그것은 목록들에 대한 열정으로, 이는 고유의 특성을 가지고 있고, 그 시대와 양식, 사회의 특성을 지닌 분명한 대상들을 열거하는 데 쏟는 열정이며 또 음식 메뉴, 음악회 프로그램, 식이요법 도표들, 실제의 혹은 가상의 전기들을 열거하는 데에 기울이는 열정이기도 하다.

'수집주의'의 악령은 계속 페렉의 페이지들에서 떠돈다. 이 책이 환기하는 수많은 수집들 중에서 '그의' 특성을 가장 잘 나타내주는 수집품은 유일한 것, 즉 단 하나의 본보기로만 존재하는 대상들이라고 말하고 싶다. 하지만 그는 언어와 인식과 기억들에 의존할 때만 인생에서 수집가로 존재했다. 용어의 정확성은 그가 사물을 소유하는 방식이었다. 페렉은 단일성을 지닌 모든 사건과 사람과 사물을 수집해서 이름을 붙였다. 애매모호함이라는, 현대 글쓰기의 최악의 병에서 페렉보다 더 자유로울 수 있는 사람은 없다.

정해진 규율과 '제약'에 기초해서 소설을 쓴다는 방침이 페렉에게는 이야기의 자유를 억압하는 것이 아니라 오히려 자극하는 것이었다는 사실을 말하고 싶다. 그의 스승 크노에 의해 창설된 울리포의 참가자들 가운데 페렉이 가장 창의력이 뛰어난 작가였다는 것이 우연은 아니다. 크노는 이미 오래전에, 초현실주의자들의 '자동 글쓰기'에 대해 논쟁을 벌이던 시기에 이렇게 썼다.

> 실제로 퍼져 있던 아주 잘못된 또 다른 생각은 영감과 무의식의 탐색과 자유 사이에, 우연과 자동성과 자유 사이에 등가치를 설정할 수 있다는 것이다. 모든 충동에 맹목적으로 복종하는 이 영감은 사실은 노예와 마찬가지이다. 자신이 알고 있는 분명한 숫자의 규율들을 지키면서 비극을 쓴 고전주의자들은 자기 머리에 스쳐 지나가는 것을 글로 적고 자신이 모르는 또 다른 규율의 노예가 되는 시인보다 훨씬 더 자유롭다.
>
> 『상징, 부호, 숫자』

커다란 망으로서의 소설에 대한 나의 변명을 끝맺을 순간이 되었다. 작품이 가능성의 다양화를 겨냥하면 할수록 글 쓰는 사람의 자아, 내적인 진지함, 고유한 진실의 발견이라고 할 수 있는 '단일성'unicum에서 더 멀어지게 된다고 이의를 제기할 수도 있을 것이다. 반대로 나는 이렇게 대답하고 싶다. 만약 우리가 경험과 정보와 독서와 상상력이 조합되어 존재하는 것이 아니라면 우리는 누구이며 우리들 개개인은 누구인가? 모든 인생은 백과사전이고, 도서관이고, 사물들의 목록이고, 양식들의 견본이다. 이 속에서 모든 것이 계속 뒤섞이고 가능한 모든 방법으로 재정리된다.

하지만 어쩌면 지금 내 마음속에는 다른 생각이 자리 잡았는지도 모른다. 어쩌면 자아를 벗어나서 만들어진 작품, 개별적이고 제한된 전망에서 벗어날 수 있게 해주는 작품, 우리와 유사한 다른 사람들의 자아로 들어가려는 작품뿐만이 아니라 말을 지니지 않은 것, 홈통에 앉은 새, 봄 나무와 가을 나무, 돌, 시멘트, 플라스틱 같은 것이 말을 할 수 있게 해주는 작품이 존재할 수도 있다.

혹시 이것이 바로 형식들의 연속성을 이야기할 때 오비디우스가 겨냥했던 목표 지점, 모든 사물에 공통된 자연과 자신을 동일시할 때 루크레티우스가 겨냥했던 목표 지점이 아닐까?

부록

시작과 끝에 대하여

Cominciare e finire

이 텍스트는 노턴 강의 준비용으로 작성된 원고에서 발췌한 것으로 아직 출간되지 않았다. 임시로 쓴 초고이지만 완성된 원고이고 강의로 치면 초반부에 해당한다. 이 텍스트(1985년 2월 22일 날짜가 적힌)는 이후 강의 원고에서 제외되었으나, 몇몇 제재들은 미완성으로 남은 여섯째 강의, '일관성'에 포함될 예정이었다. 보충 설명이 필요한 부분들은 [ ]에, 불분명하고 불확실한 강의 내용은 〈 〉에 넣었다.

하나의 강의를, 아니 정확히 말하자면 여섯 차례 강의를 시작하는 순간은 소설 쓰기를 시작하는 것처럼 중요하다. 또 한편 선택의 순간이기도 하다. 우리 작가에게는 가능한 모든 방법으로 모든 것을 말할 가능성이 주어진다. 그리고 우리는 특별한 방법으로 한 가지를 말해야만 한다.

그러니까 내 강의의 출발점은 작가에게 중요한 그런 순간과 같을 것이다. 아직 존재하지 않지만 한계와 규칙을 받아들여야만 존재할 수 있는 무엇인가를 만나기 위해 무한하고 다양한 형태의 가능성에서 분리되는 순간 말이다. 우리는 글을 쓰는 순간까지 세계를 우리 마음대로 이용할 수 있다. 우리 각자를 위한 세상을 만드는, 정보와 경험과 가치의 총합을 만드는 세계 말이다. 이전도 이후도 없이 전체로 주어진 세계, 개인적 기억으로 남은 세계, 그리고 가능성이 내포된 세계이다. 우리는 이러한 세계에서 담론을, 이야기를, 감정을 끌어내고 싶어 한다. 아니 어쩌면 더 정확하게는 이 세계에 우리의 자리를 허용하는 작업을 완수하고 싶은지도 모른다. 우리는 모든 언어를 사용할 수 있다. 문학에 의해 정밀하게 다듬어진 그런 언어들, 다양한 세기에 다양한 나라의 문명과 개인들을 표현하는 문체들, 아주 다양한 학문에 의해 정밀하게 다듬어지고, 다양한 인식 형태에 도달하고자 하는 언어들을 사용할 수 있는 것이다. 우리는 그러한 언어에서 우리가 말하려는 바에 적합한 언어를, 우리가 말하고 싶은 언어를 이끌어낸다.

매번 시작은 다양한 가능성들로부터 분리되는 순간이다. 작가에게는, 오늘 밤 들려주기로 결정한 하나의 이야기를 다양한 이야기들로부터 분리하고 이야기할 만한 것으로 만들기 위해, 그가 들려줄 수도 있었을 여러 이야기들로부터 멀어지는 순간이다. 시인에게는, 획일적인 세상의 감정에서 멀어져서 감각이나 사고와 일치하는 조화로운 언어들을 분리하고 연결하는 순간이다.

시작은 완전히 다른 세계, 즉 언어의 세계로 들어가는 것이기도 하다. 시작을 하기 전에는 외부에 완전히 다른 세계가, 글로 쓰이지 않은 세상이, 경험했거나 눈으로 볼 수 있는 세상이 있거나 있다고 가정한다. 이러한 문지방을 넘어 우리는 다른 세계로 들어가는데 첫째 세계와 매번 결정적인 관계를 맺을 수도 있고 전혀 맺지 않을 수도 있다. 성질상 외부 세계는 연속적이며 가시적인 한계가 없기 때문에 시작 지점은 탁월한 문학적 장소이다. 문학작품의 경계 구역들을 연구하는 것은, 문학 너머에 있지만 문학만이 〈표현할〉 수 있는 성찰을, 문학 작업이 수용하는 방법들을 관찰하는 것이다.

고대인들은 이 순간의 중요성을 분명히 인식해서 뮤즈에게 기도를 올리며 자신들의 시를 읊조리기 시작했다. 모든 신화, 모든 서사시, 모든 이야기의 일부인 기억이라는 소중한 보물을 수호하고 관장하는 여신에게 보내는 당연한 경의의 표시였다. 뮤즈를 짧게 언급하기만 해도 괜찮았고 작별 인사로 마무리해도 되며, 영웅들 간의, 복잡하게 뒤얽힌 모험을 둘러싼 화합과 조화만 표현해도 되었다. 말하자면 내가 아킬레우스의 분노를 다룰 경우 트로이 전쟁의 수

백 개의 다른 일화들을 잊지 않아야 했고, 내가 관심을 갖는 오뒷세우스의 귀환을 다룰 경우 다른 우여곡절을 겪는 모든 영웅들의 귀환을 잊지 말아야 하는 것이다.

고대 극장에서 고정된 무대는 모든 비극과 희극이 상연될 수 있는 이상적인 장소였다. 공간과 시간을 벗어난 정신의 장소였지만 마찬가지로 극적인 행위가 모두 벌어지는 공간과 시간과 동일시되는 장소였다. 보존된 로마의 극장들과 르네상스 시대에 팔라디오 양식[1]으로 재건축된 극장들은 격렬하게 분출되는 인간의 감정에 초연하려는 의지로서의 고전적 이미지를 친숙하게 만든다. 중앙에 왕궁의 문이 나 있고 양옆으로 대칭을 이룬 두 개의 작은 문이 있는 장중한 대저택의 대리석 정면은 왕궁, 신전, 도시의 광장을 나타낼 수 있다. 문 입구에서 왕이나 예언자나 전령이 등장하기만 하면 된다. 그러면 바로 일어날 수 있는 수많은 행위 중 하나가 진행된다. 이미 진행되고 있거나 상상할 수 있는 나머지 행위와 연속성을 지닌 채 말이다.

고전 소설에서, 17 · 18 · 19세기 소설에서 서두는 소설이 시간적, 지리적, 개인적으로 다루게 될 아주 특징적인 인물 혹은 사건들을 강조한다. 세르반테스가 보여주는 구체

1 — 15세기에 활약한 안드레아 팔라디오(1508~80)의 건축물에서 시작된, 독특한 고전주의 양식의 건축물을 일컫는다.

성은 모호한 신화적 배경에서 분리된 듯이 보인다. 하지만 첫 줄이 시작되자마자 장소와 등장인물의 이름은 불확실성이라는 구름에 가려진다. [얼마 전 라만차의, 이름을 기억하고 싶지 않은 한 마을에, 창 걸이에 창을 걸어 두는 그런 이달고 중의 한 사람이…] 하지만 1세기 뒤 로빈슨 크루소는 자신의 정체성과 출신에 아무런 의심을 갖지 않는다. [나는 1632년 요크시의 좋은 가정에서 태어났다. 하지만 요크 토박이가 아니었는데 아버지가 헐에 처음 자리를 잡은 브레멘 출신 외국인이었기 때문이다.] 『걸리버 여행기』 같은 환상소설의 주인공을 다룬다면 정확성이 떨어져서는 안 된다. [나의 아버지는 노팅엄셔에 약간의 재산을 가지고 계셨다. 나는 다섯 형제의 셋째로 태어났다. 내가 열네 살이 되자 아버지는 케임브리지의 임마누엘 칼리지에 보내주셨다….] 잘 살펴보면 서두에서 빠뜨리지 않는 개인에 대한 설명은 작가에게는 뮤즈에 대한 기도와 같이 의식적인 행위다. 이러한 의식은 다른 운명들, 부침을 거듭하는 사건들과 뒤섞인 것들로부터 지금 시작되려는 이야기를 끌어내야 한다는 불안감을 내포하고 있으며 또 우주의 무한함에 어떤 식으로든 경의를 표하는 방법이기도 하다. 모든 소설의 이야기는 동시대에 쓰이는 앙티로망의 이야기를 고려해야만 한다. 그러니까 18세기 소설에서는 개인의 특성을 설명하는 서두와 완전히 모호한 서두가 대비된다. 디드로는 『운명론자 자크』에서 독자들이 읽는 게 진짜 인생담이 아니라 작가가 그때그때 결정해서 글로 쓴 이야기라는 것을 즉시 강조하고 싶어 한다. [그들은 어떻게 만났을까? 다들 그렇듯이 우연히. 서로를 뭐라고 불렀을까? 그게 뭐 중요하지? 어디 출신들이었지? 아주 가까운 곳에서 왔지. 어디로 갔었지? 혹시 어디로 가는지 알까?] 스턴의 경우는 전기식 서두와 대비하기 위해, 〈생식〉, 잉태, 태어나기 이전의 일들로부터 트리스트럼의 자서전을 시작한다. 그래서 인물의 탄생에 서서히 다가가는 서사가 내용의 대부분을 차지한다.

위에서 제시한 예들은 개인의 특성을 설명하는 일이 소설을 시작하기 위한 종교의식과 같다는 것을 확인시킬 뿐이다. 하지만 이와 같은 본보기에서 점점 멀어지는 변형된 형태들이 등장한다. 작가들은 서두가 불필요하다고 점점 더 확신한다. 유명한 첫 문장이다. [나를 이스마엘이라 불러라.][2]는 개인의 특성이 아니라, 다양하고 신비한 배경을 강조하는 것 같으며 말을 하는 목소리는 그런 배경과 거리를 두고 있다.

물론, 보편에서 특수로의 이행으로 작품의 시작을 알

2 — 허먼 멜빌, 『모비딕』의 첫 문장.

리는 모든 의식儀式은, 시작을 하며 부른 신의 이름이 무엇이든 상관없이 종교적 영감이 지배적이던 시대들의 특징이다. 아우구스티누스는 어디에서 신을 찾아야 하는지를 자문하며 『고백록』을 시작하고 자신의 삶을 이야기하면서 스스로에게서 신을 찾기로 결정한다. 『신곡』의 서두가, 우리를 개인의 실존적 위기 한가운데로 인도한다면, 이미 첫 구절인 "우리 인생길 한가운데에서"에 나오는 우리라는 말은 개인 단테가 인간의 표본이라는 사실을 상기시킨다. 그리고 시에서 작가의 삶과 당대 사회에 대한 언급들이 계속해서 보편적인 알레고리와, 백과사전적 지식이 담긴 우주적·신학적·도덕적 개념들과 뒤섞인다는 것을 알린다.

근대문학에서는, 내 말은 적어도 최근 두 세기 전부터는 의식儀式으로, 혹은 작품 외적인 무언가를 상기시키는 서두로 작품의 시작을 알리는 방식이 더 이상 필요치 않게 된다. 작가들은 이야기할 수 있는 모든 것에서 이야기하기로 결정한 스토리를 분리해낼 권한이 있다고 생각한다. [···] 인생은 계속 짜 나가는 직물이기 때문에, 어떠한 서두든 자의적이기 때문에, 투르게네프, 톨스토이, 모파상이 했듯이 사건 한가운데서in medias res, 어떤 순간에, 대화 중간에서도 이야기를 시작하는 게, 두말할 필요도 없이 타당하다. 지연되는 서두도 있다. 화자는 서둘러 주제로 들어가지 않고 주위를 빙글빙글 돈다. 그러면 잠시 이러한 나선에서 다양한 이야깃거리가 모습을 보인다. 『오래된 골동품 상점』의 너무나 아름다운 첫 문장을 떠올려보려 한다. 디킨슨은 이렇게 시작한다. [나는 한밤에 걷는 것을 좋아한다.] 그리고 두 페이지에 걸쳐 잠들지 못한 화자가 걷는 밤의 도시와 가로등 아래에서 일어난 만남들을 생생히 그려낸다. 그러한 만남들 끝에 어린 넬과 우연히 만나며 이야기가 시작된다. 디킨슨은 소설의 구조적인 치밀성에는 관심이 없다. 그리고 이렇게 1인칭으로 시작했다는 사실을 곧 잊어버린다. 그러나 이 소설은 고전적인 서사 방식의 선언문으로 남아 있다.

소수의 작가들만이, 비율을 결정한 뒤, 단 하나의 이야기를 세세하게 표현하는 데 관심을 쏟기 위해서 우주의 광대함과 작별할 필요성을 느끼는데, 그러한 필요성은 아이러니한 정신에 가려 드러나지 않는다. 이러한 우주적 인식에 대한 보기 드문 신도 중 한 사람은 물론 무질이다. 『특성 없는 남자』는 [이렇게] 시작된다. "대서양 상공에서 저기압이 동쪽 방향으로 움직여 러시아 상공의 고기압 쪽으로 이동했다. 지금으로서는 고기압을 피해 북쪽으로 이동할 어떤 기미도 보이지 않았다. 등온선과 등서선은 적절히 분포되었다. 기온은 연평균 기온, 가장 더운 달의 기온과 가장 추운 달의 기온, 그리고 불규칙하게 급변하는 달의 기온을 고려해보면 정상이었다. 일출과 일몰, 그리고 달, 금성, 토성 고리의 위상位相, 다른 중요한 현상들이 천문학 연감의 예측과 일치했다. 공기 중의 수증기는 최대장력을 유지했고 습도는 매우 낮았다. 간단히 말해, 약간 구식이긴 하지만 이런 문장으로 이런 사실들을 잘 요약할 수 있다. 1913년 8월의 어느 화창한 날이었다."

지금 머리에 떠오른 또 다른 우주적인 시작은 정말 기억할 만한, 보르헤스의 단편소설 「알레프」의 도입부이다. [베아트리스 비테르보가 단 한 순간도 자기연민에 빠지거나 두려워하지 않고 용기 있게 죽음과 사투를 벌이다 사망한 2월의 찌는 듯한 어느 날 아침, 나는 콘스티투시온 광장의 철제 광고판의 광고가 내가 잘 모르는 담배 광고로 바뀌었다는 것을 알아차렸다. 그 사실 때문에 나는 마음이 아팠다. 끝없고 광대한 우주가 벌써 그녀와 분리되었으며, 그러한 변화가 무한히 이어질 변화의 첫걸음이라는 것을 알았기 때문이다.]

무차별적인 카오스 같은, 잠재적인 다양성을 지닌 듯한 우주를 우리 내부에서도 찾을 수 있다. 잠은 인류학적인 우주에 속한다. 다음과 같은 말로 역사상 가장 중요한 업적을 남긴 소설들 가운데 하나를 시작한 작가가 잘 알고 있듯이 말이다. [나는 오랜 시간, 일찍 잠자리에 들어 왔다.] 이 구절만이 아니라 『잃어버린 시간을 찾아서』의 페이지를 넘겨 보기만 하면 주인공이 얼마나 여러 차례 잠자리에 들고 일어나는지를 충분히 알 수 있다. 프루스트는 이 두 순간에 대해 할 말이 수없이 많은데 이것들은 장章이나 권卷의 첫 문장으로 모습을 드러낸다. 잠에서 깨어나며 시작되는 「갇힌 여인」의 너무나 인상적인 서두에서도 마찬가지이다. 하지만 작품의 시작인 [나는 오랜 시간, 일찍 잠자리에 들어 왔다.]를 좀 더 살펴보도록 하자. 우리의 논의에서 아주 흥미로운 부분은 서두의 불과 몇 단락을 지나 등장하는 몇 줄이다. [잠이 든 사람은 시간의 실타래, 세월과 우주의 질서라는 둥근 원을 자신의 둘레에 가지고 있다. 잠에서 깨자마자 본능적으로 그것들을 생각하며 곧 자신이 차지하고 있는 지구의 한 지점과 잠에서 깰 때까지 흐른 시간을 읽게 된다. 하지만 그 차례들은 뒤섞일 수도 있고 끊길 수도 있다.]

가능한 이야기의 다양성이 가능한 경험의 다양성으로 전도되는 것을 볼 수 있는 대목에서, 시작되는 이야기의 유일성은 살아갈 나날들의 유일성이 되고 유일성은 불확실한 잠에서 분리되어 깨어나는 데서 결정된다. 우리는 기억을 수호해주는 호메로스의 뮤즈들에서 출발했다. 우리 시대 기억의 시 『잃어버린 시간을 찾아서』는 망각에서 출발해 기억의 끈들을 되찾기 위해 망각에 의지한다.

기억과 망각은 서로를 보완한다. 입에서 입으로 전해지던 이야기의 기법을 다시 생각해보면 동화의 화자는 집단 기억에 의지하지만 동시에 망각의 샘에 의지하기도 한다. 그 샘에서 개인적인 확고한 의지가 모두 제거된 것 같은 이야기들이 솟아나오는 것이다. "옛날 옛적에…" 이야기꾼은 잊혀져 있던(잊혀져 있었다고 생각한) 이야기들을 떠올리기 때문에(떠올린다고 생각하기 때문에) 이렇게 이야기한다. 동화를 만들어내는 다양성의 세계는 기억의 밤이지만 망각의 밤이기도 하다. 그와 같은 어둠에서 벗어나면서 시간, 장소, 인물들은 분명하지 않아야만 하는데 이야기를 듣는 사람이 즉시 이야기와 자신을 동일시하고 자신의 경험에서 우러나오는 이미지로 이야기를 완성하기 때문이다.

하지만 구전 서사의 유산에서 […] 짧은 이야기, 이탈리아 문화에서 노벨라라고 부르는 단편소설도 탄생하는데 이것은 최대한의 개별화를 목표로 한다. 집단의 기억 속에 〈보존된〉 이야기들은 개별 사건들, 모두들 특수성을 지닌 가능한 운명들의 우주를 만들어내기도 한다.

이 주제에 관련된 에세이 두 편을 다시 살펴보고 싶다. 하나는 너무나 유명한 발터 베냐민의 「이야기꾼」으로 니콜라이 레스코프 소설들을 출발점으로 삼은 에세이이다. 베냐민에게 이야기꾼이란, 인간이 경험으로부터 배울 수 있는 능력을 아직 상실하지 않았던 시대에 경험을 전달한 사람이다. 이야기꾼은 입에서 입으로 전해진 기억이라는 이름 없는 유산을 이용하는데 여기서 개별 사건은 '인생의 의미'에 대해 무엇인가를 말해준다. '인생의 의미'란 무엇일까? 그것은 우리가 다른 사람들의 삶에서만 포착할 수 있는 무엇으로, 그 삶들은 서사 대상이 되기 위해 죽음으로 완성되고 봉인되어 우리 앞에 제시된다. 민중적인 이야기는 우리의 삶에 대해 말하고 삶에 대한 우리의 욕망을 키워주는데, 바로 이 삶이 죽음의 존재를 숨기고 있기 때문이다. 즉 영원성을 배경으로 하기 때문이다.

다른 에세이는 에리히 아우어바흐의 노벨라의 기교에 대한 것이다. 「이탈리아와 프랑스의 초기 르네상스 단편소설의 기교」라는 이 에세이는 아우어바흐가 젊은 시절 첫 출판되어(1926) 많이 알려지지 않았다. 우리에게 흥미로운 부분이 아주 선명하게 설명되어 있다. "단편소설을 쓰기 위해서는 […] 다음과 같은 작업을 수행할 필요가 있다. 무한할 정도로 풍부한, 감각적인 사건들 가운데 특히 한 사건에 초점을 맞추고 사건이 무한할 정도로 풍부한 사건들을 대표할 수 있게 중요한 가정과 함께 그것을 발전시켜야 한다. 이것은 중세에는 가능하지 않았다. 사실 오랜 시간 동안 관찰자는 바로 그 풍부한 사건들, 내재성을 이야기에 포함해 풍부하게 만들 만한 것으로 생각하지 않았고 기껏해야 그 자체를 알레고리로만 보았다. 오랜 세월 홀대당해 온 세상은 인간에게 등을 돌렸고 마찬가지로 인간도 세상에서 등을 돌렸다. 인간이 세상을 향해 돌아섰을 때 세상을 길들이는 데 많은 노력을 기울여야 했다. 세상의 전체 구조는 인간에게 낯설었다. 인간은 하나의 사건이 다른 사건으로 흘러 들어가서 전체를 (우연성을) 형성하는 무한한 사건들의 총체를 본 게 아니라 동떨어진 사실들을…."

아우어바흐는 우연성과 모순이 세상의 내재적 질서의 일부가 되는 동양의 노벨라들과, 미리 결정한 도덕을 입증하는 데 이야기들을 이용해야 했던, 설교자들의 도덕적 모범exempla 모음집의 경직성을 비교한다.

아우어바흐에 따르면 보카치오의 놀라운 창의성은, 노벨라에서 액자 역할을 하는 이상적인 사회의 이미지에 힘입은 것이다. 이러한 사회는 여성들의 사회로, 도시 문화에서 형성된 여성에 대한 새로운 이미지에 따른 것이다. 『데카메론』의 서두는 "우아한 부인들"을 부르며 시작된다. 보카치오는 여성들에게 말을 걸고 여성들이 적극적인 역할을 하는 이야기를 들려주며 사랑의 법칙이 지배하는 세계를 표현한다. 100개의 노벨라를 에워싼 『데카메론』의 액자는 매우 중요하다. 액자는 우주의 모델로 확장될 수 있는 사회의 모델을 수용하고 있다. 이런 우주적인 야심은 열흘을 뜻하는 제목 '데카메론'에서 드러난다. 이 제목은 세상의 창조에 대한 성 암브로시우스의 작품으로 6일을 의미하는 『헥사메론』이라는 제목에 바탕을 두고 있다. 잘 알다시피 『데카메론』의 도입부는 1348년 피렌체에 창궐한 페스트에 대한 오싹한 묘사로 시작된다. 그리고 일곱 명의 귀부인들이 세 명의 젊은 남자들과 함께 전염병을 피해 어떻게 시골에 있는 별장으로 가기로 결정하게 되었는지를 이야기한다. 즐겁고 솔직하게 여가 시간을 보내기로 결정한 방법도 이야기한다. 매일 교대로 열 명 중 한 명이 왕이나 여왕으로 지명되고 그날의 이야기 주제를 결정한다. 매일 밤 그들은 잔디밭에 모여 앉아 각자 매일 정해진 주제에 따라 하나의 노벨라를 들려준다.

그러니까 개별 노벨라들이 분리되어 나온 우주는 이중의 이미지를 제시한다. 사회관계와 가족 관계, 윤리 관계를 파괴하는 혼돈으로서의 페스트가 있다. 그리고 페스트와 대조적인 이상적인 질서, 고상하고 조화롭고 친절한 사회, 인간들의 사례를 성찰하는 사회도 있는데, 여기서 사랑은 그 자체로 존중받을 때에만 이성과 도덕에 의해 지배되는 자연적인 힘이다. 모호함이 『데카메론』의 액자를 감싼

다. 노벨라에서는 그렇게 정밀하던 보카치오의 글쓰기가 여기서는 모든 것을 불명확한 상태로 남겨 놓는다. 풍경은 보기 좋을 만큼 평범하며 열 명의 화자들은 특색이 없고 아무것도 그들의 시간을 방해하지 않는다. 우리는 그들을 연결하는 관계에 대해서 전혀 알지 못하며 일곱 여자들 중 누가 세 남자와 사랑에 빠졌는지도 알지 못한다. 이러한 문학적인 표현의 차이는 액자와 이야기의 차이를 강조한다. 고대 연극의 무대처럼 액자는 포괄적이어야 하며 이야기가 형성되어 가는 이상적인 공간의 이미지를 지니고 있어야만 한다. 『데카메론』의 노벨라들은 어떻게 액자와, 또는 그들끼리 연결될까? 대개 노벨라들을 결합하는 것은 도덕이다. 모든 화자는 자기 차례가 되면, 더 많은 예시가 필요한 짧은 도덕적 설명과 함께 이전 화자의 노벨라를 다시 언급하며 새로운 이야기를 소개한다. 몇몇 경우 관계는 단순히 여러 생각들이 연결된 것일 뿐이다. 방금 끝난 이야기의 세부사항, 대상, 상황은 다음 화자에게 다른 이야기에 대한 기억을 일깨운다.

베냐민은 이렇게 말한다. "기억은 모든 이야기들 사이에 형성되는 망을 만든다. 하나의 이야기는 다른 이야기와 다시 연결된다. 위대한 이야기꾼들이, 무엇보다 동양의 이야기꾼들이 항상 보여주길 즐겼듯이 말이다. 셰에라자드는 각각의 이야기꾼들 속에 살고 있는데 이야기의 순간마다 새로운 이야기를 떠오르게 한다." 조금 더 나아가 베냐민은 이야기의 기술에서 "청중의 관심을 사로잡는 영리함"을 지닌 상인들이 아주 중요한 역할을 했으며, 그들이 어떻게 "『천일야화』에 깊은 흔적을 남겼는지"를 언급한다.

이러한 관찰들은 보카치오처럼 상인 사회에 속한 이야기꾼과 많은 관련이 있다. 『데카메론』의 노벨라들에서 상인들의 세계는 이야기된 경험들 속에, 실제 도덕 속에, 작품의 구조 속에도 존재해 서사의 교환과 이야기들의 순환 메커니즘을 작동시킨다. 열 명의 화자들로 구성된 작고 완벽한 사회는 아우어바흐가 말했듯이 고상함과 귀족적 이상을 나타내지만 모두가 이윤을 얻을 수 있는 완벽한 시장이기도 하다. 매일 밤 되풀이되는 이야기의 마상 창 시합은 기사들의 진짜 시합처럼 아주 정확한 규칙에 따라 진행된다. 그러나 승자도 패자도 예상할 수 없다. 시합이라기보다 각자 뭔가를 주고 뭔가를 얻을 수 있는 시장이다.

그러니까 아우어바흐와 베냐민은 이야기에 대해 각기 다른 정의를 내리는데, 다르긴 하지만 모순되지는 않는다. 아우어바흐의 보카치오에서 이야기는 액자에 의해 정의된다. 베냐민이 이용한 레스코프의 소설에는 액자가 부재하지만 베냐민은 내포된 액자가 구전 서사의 모체라고 말한다. 농부들의 이야기에서 전승된 토착 지식, 상인과 선원 들에 의해 널리 퍼진 세상에 대한 실제 경험담, 장인들의 이야기에 담긴 직업의 비밀 같은 것이 레스코프의 이야기들에 들어 있다. 나는 레스코프의 독특한 소설 『알렉산드라이트』를 상기해보려 한다. 이 소설은 광물학 논문을 인용하며 시작되는데 보석의 역사, 마법사 같은 면이 있기도 한 지혜로운 석공의 역사를 계속 이야기한다. "백과사전적"이라고 정의하고 싶은 이런 유형의 서두는 내가 찾고 있는 표본적인 서두 목록에 당연히 포함해야 한다. 이 소설은 백과사전의 한 항목, 논문의 한 장章, 관습 혹은 어떤 환경이나 제도에 대한 묘사 같은 일반 정보에서 출발한다. 그리고 이런 일반 정보를 예시하기 위해 특별한 이야기를 시작한다.

나는 보카치오의 노벨라들에서 "백과사전적인" 서두의 예를 발견했는데 단 하나뿐이지만 아주 독특하다. 여덟째 날의 열째 노벨라는 항구의 '상관商館' 또는 '세관'이 어떻게 운영되는지를 자세히 설명하며 시작된다. 설명에 따르면 상인들은 해당 도시의 세관에 하역할 물건들을 등록하고 창고에 입고시키는 관습이 있었다. 팔레르모가 무대인 노벨라는 상인을 속이려는 한 여자의 속임수와 자신이 입은 피해를 만회하려는 상인의 속임수를 다룬다. 음모는 모두 항구에서 실행되는 교역 규칙과 규정을 토대로 한다.

그래서 경제사가들은 이 노벨라를 역사적 자료로 이용했고 언어학자들은, 현대 이탈리아어에서 세관을 뜻하는, 'dogana' 같은 아랍어의 유입에 대한 연구에 이용했다. 어쨌든 중요 장면은 세관이 아니라 성적인 암시가 아주 풍부한 장소, 곧 약속한 집의 욕실에서 전개된다. 그러니까 전달되는 실제적 조언들, 백과사전을 이루는 객관적 개념들은 감정적이고 도덕적인 삶의 주관적 체험을 통해 서사적 기억 속에 저장된다.

서사적 기억이 내게 연상시키는 것에 빠져들다 보면 세관에서 시작된 다른 이야기가 떠오른다. 바로 호손의 『주홍글씨』의 유명한 시작 부분이다. 과거 기억의 저장소를 상징하는, 늙은 세관 공무원들의 일터인 세일럼 항구의 쇠락한 세관이 등장하는 대목이다. 호손은 기록보관소의 서류들을 뒤지다 그 흔적을 찾아낸 이야기를 바로 여기서부터 회상하기 시작한다. 호손에게 세상의 경험이란 운명적으로 사라지게 되어 있는 조상의 과거 속에 포함되어 있는 것이다. 소설의 서두를 지배하며 호손이 헤스터 프린의 이야기를 들려주기로 결정하게 만든 것은 바로 이 상실감이다.

나는 독자 입장에서 기억 속의 보이지 않는 선을 계속 따라가야만 하는 걸까? 항구에서 시작되는 소설들… 이번에는 입항선 담당 점원이 하는 일이 무엇을 의미하는지 설명하고 동양의 어떤 항구에 있는 선박용품 상점을 묘사하며 시작하는 소설을 살펴본다. 이러한 시작은 조지프 콘래드가, 물품과 기술 장비들을 기반으로 해서 전문적인 구체성의 토대를 마련하는 데 이용된다. 이러한 토대를 고려할 때에만 우리는 선원이라는 직업의 윤리 코드를 정의하고 로드 짐의 영웅주의에 대한 낭만적 꿈들을 평가하고 끝없는 그의 추락과 죄를 측정할 수 있기 때문이다.

콘래드는 시작의 의미를 확실히 알고 있었다. 『암흑의 핵심』이 어떻게 시작되는지 생각해보라. 런던 항에 도착, 낯선 야만의 땅에 상륙하는 로마인들에 대한 언급, 콩고를 거슬러 올라가는 증기선의 여행에서 액자 역할을 하는 역사와 지리—유령 도시 같은 브뤼셀까지도…—이 모든 것이, 한정된 경험의 영역이 다시 한번 무한한 어둠을 향해 열리게 되는 결말에 다다르기 위한 것이다.

결말… 단테는 별들이라는 단어로 자신의 시 「지옥」, 「연옥」, 「천국」을 끝낸다…. 우리는 서두에서 사용했던 단어들과 결말의 단어들을 대칭이 되게 사용할 수 있을까? 물론 우리가 살펴보았던 여러 유형의 서두와 일치하는 결말을 찾을 수 있으면 기쁠 것이다. 이야기가 속해 있는 우주는 글쓰기의 우주이며, 거기서 벌어지는 사건의 본질은 종이에 쓰인 것이라는 사실을 상기시키며 이야기가 현실이라 생각하려는 환영을 깨는 결말은 『돈키호테』의 결말이다. 세르반테스는 자신의 또 다른 자아인 시데 아메테 베넹헬리를 통해 말한다. [신중하고 지혜로운 시데 아메테 베넹헬리가 자신의 펜에게 말했다. "오 사랑하는 나의 펜이여, 여기 너는 이 선반의 철사 줄에 매달려 있어라. 내 깃털 펜이 뾰족한지 아닌지 잘 모르겠구나."] 뒤이어 펜이 말한다. [돈키호테는 오로지 나를 위해 태어났고 나는 그를 위해 태어났다. 그는 행동할 줄 알았으며 나는 글을 쓸 줄 알았다.]

한편 내가 인용했던 우주적인 시작과 나란히 할 우주적인 결말을 찾고 싶다면 이탈로 스베보의 『제노의 의식』을 보라. 제노의 의식은 병에 대한, 병과 같은 인간의 삶에 대한, 인간에 의해 오염된 자연에 대한 성찰로, 원자폭탄에 대한 예언에까지 이른다. "아무도 듣지 못할 엄청난 폭발이 있을 테고 지구는 성운의 형태로 돌아가서 기생충도 질병도 없는 하늘을 떠돌 것이다."

불분명한 결말의 예로 나는 『마의 산』을 떠올려보려 한다. 몇 달 동안 요양원에서 한없이 느리게 진행되던 이야기에서 우리는 제1차 세계대전이 한창 진행 중인, 불과 몇 페이지에 이르는 급박한 결말로 옮겨 가게 된다. 한스 카스토르프는 포탄이 빗발치는 진흙탕에 있다. 그리고 우리는 그를 잠깐밖에 보지 못한다. 하지만 작가는 그가 죽었는지 살았는지 이야기해주지 않는다.

"잘 가라! 살아 있든 아니면 그대로 쓰러지든 잘 가라! 상황은 너에게 유리하지 않아. 네가 끌려들어 간 무도회는 앞으로 몇 년은 지속될 거야. 그리고 우리는 네가 무사히 거기에서 빠져나오리라 장담할 수 없어. 솔직히 말하자면 우리는 답을 알 수 없는 이 물음을 그냥 놔두고 거의 염려하지 않을 거야. 육체와 정신의 모험은, 자네의 단순성을 다듬어주었던 모험은 어쩌면 육체 안에서는 살 수 없을 것을 정신 안에서 살아남게 했지. 온 세상을 뒤덮는 죽음의 축제로부터, 비오는 밤 우리 주위에서 미친 듯이 사악하게 타오르는 불길로부터 어느 날 사랑이 샘솟을 수 있을까?"

이야기를 끝내지 않는 이유는 이렇다. 어쨌든 이야기가 끝나고, 우리가 어떤 대목을 이야기가 끝난 순간이라고 생각하기로 하든, 우리는 결말이 이야기의 행위가 끝나 가는 지점을 향해 있는 게 아니며, 중요한 것은 다른 곳에 있다는 것, 이전에 일어났던 것이라는 사실을 깨닫는다. 즉 중요한 것은 사건들에서 분리된 부분, 이야기할 수 있는 것의 연속성에서 이끌어낸 부분이 획득하는 의미이다. 물론 전통적인 서사 형식에서는 완결성이 느껴진다. 동화는 주인공이 역경을 이겨내고 승리를 거두었을 때 끝난다. 자전적 소설에서 주인공의 죽음은 이론의 여지가 없는 결말이 된다. 교양소설은 주인공이 성장하면, 탐정소설은 범인이 밝혀지면 끝난다. 그러나 대부분의 소설과 단편소설 들은 결말을 그렇게 명쾌하게 제시할 수 없다. 어떤 소설들은 연속되는 모든 것이 이미 표현된 것의 되풀이밖에 안 될 때, 또는 원하던 대로 완벽하게 커뮤니케이션되었을 때 끝난다. 이러한 커뮤니케이션은 세상의 이미지, 감정, 상상력의 도전, 일관된 사고의 훈련이 될 수 있다. 정말 중요한 결말은 『감정 교육』에서처럼 전체 서사를, 소설에서 중요한 역할을 하는 가치의 위계를 문제 삼는 결말이다. 플로베르는 400여 페이지에서 프레데릭 모로의 젊은 시절을 거의 "실제 시간"과 같이 이야기한다. 사랑과 파리에서의 생활과 혁명을 말이다. 마지막에 프레데릭은 옛 친구와 이야기를 나누며 사춘기 시절의 어리바리하고 경솔했던 행위를 떠올린다. 사창가를 방문한 일인데 "넘치는" 자신감은 수줍음에 압도당해 결국 도망을 치고 만다. [… 프레데릭이 말했다. "우리가 제일 잘한 일이 그거였어!" "그래, 정말 그럴 수 있지. 우리가 제일 잘한 일이 그거였어!" 델로리에가 말했다.] 소설 전체에, 넘치는 감정들이 쌓인 나날, 사건, 기다림, 희망, 망설임, 극적 사건 들에 회고조의 결말이 투영된다.

어쨌든 시작과 결말은, 이론 차원에서는 대칭적이라고 생각할 수 있으나 미학 차원에서는 그렇지 않다. 문학사에는 기억에 남을 만한 서두들이 풍부한 반면 형식과 의미에서 진정한 독창성을 가진 결말은 아주 드물다. 아니 적어도 기억에 그리 쉽게 떠오르지 않는다. 특히 장편소설에서 그렇다. [마치] 소설이 처음 시작할 때 자신의 에너지를 모두 보여줄 필요를 느끼기라도 하듯이 말이다. 소설의 시작은 물리적, 인지적, 논리적 특징을 모두 지닌 채 다른 세계로 들어가는 것이다. 이러한 점을 주목하는 데서 출발해서 나는 소설의 서두로만 이루어진 소설을 생각하기 시작했는데 결국 『어느 겨울밤 한 여행자가』에 이르렀다. 나의 작업에서 어떻게 시작해야 하는지의 문제가 이야기 자체의 주제가 된 사례는 이 작품뿐만이 아니다. 내가 『우주 만화』라고 칭한 (그리고 다음 책인 『티 제로』도 포함된) 단편소설들에서 나는 오늘날의 우주론이 제시한 우주의 역사를 염두에 두고, 개인적인 경험의 언어로 번역되는 이야기를 끌어내려 애썼다. 내가 완전히 포기하지 않았던 이야기의 유형이다. 그러니까 나는 자극이 되는 우주 발생에 대한 새로운 이론을 읽게 되면 새로운 이야기를 써본다. 최근에는 '급팽창 이론'에서 영감을 받은 이야기를 하나 썼다. 이런 이야기들은 종종 마지막 부분에서 우주적인 이야기와 연속성을 유지하며 끝난다.

어쩌면 시작과 결말에 대한 이런 불안감 때문에 나는

장편소설 작가가 아니라 단편소설을 주로 쓰는 작가가 되었는지도 모른다. 나는 내 소설이 만든 가상의 세계가 다른 세계와 구별되고 자율적이고 자족적이어서 결정적으로 아니면 적어도 오랜 시간 동안 정착할 수 있는 세계라고 확신하기가 거의 어려웠다. 대신 이 가상의 세계를 수많은 가능한 세계들 중의 하나로, 군도 가운데 섬 하나로, 은하계의 천체로 외부에서 표현할 필요를 절실하게 느꼈다. 나의 문제는 이렇게 말할 수 있다. 우주 앞에서 이야기할 수 있을까? 하나의 이야기에 다른 이야기들이 숨겨져 있고 여러 이야기들이 하나의 이야기들을 관통하며 '조건 지우고' 또 이 여러 이야기들이 다시 우주 전체로까지 확장된다면, 그 속에서 개별적인 이야기 하나를 분리할 수 있을까? 그리고 만약에 우주가 하나의 이야기에 담길 수 없다면, 어떻게 불가능한 이 이야기로부터 완전한 의미를 가진 이야기들을 분리할 수 있을까?

지금까지 자전적인 이야기에 완전히 몰두할 수 없게 나를 가로막은 것은 아마 이런 장애물일 것이다. 20년 전부터 그런 방향으로 시도해 오고 있었지만 말이다. 하지만 나는 앞으로 하게 될 작업을 미리 예상하고 싶지는 않다.

내가 제대로 설명했기를 바란다. 문학작품에서 특수성이 존재하는 방식 또는 존재할 수 있는 다양성과 연결되는 방식이 중요하다고 생각하기 때문이다. 특수성은 그러한 방식으로 표현되기도 하고 거기에서 출발하기도 한다. 나는 '부분'과 '전체'보다는 특별한 것과 다양한 것에 대해 이야기하길 좋아했다. '전체', '전체성'은 언제나 내가 그다지 신뢰하지 않는 말들이기 때문이다. 주어진, 실제의, 현재적인 전체가 아니라 모였다 흩어지는 가능성들의 입자만이 존재할 수 있기 때문이다. 우주는 해체되어 뜨거운 구름이 되고 희망 없이 엔트로피의 회오리 속으로 빨려 들어가지만 돌이킬 수 없는 이러한 과정 안에 질서의 영역, 형태를 만들어 가려는 존재의 일부, 어떤 구도와 가능성을 알아차릴 수 있을 듯한 특권적인 지점들이 존재할 수 있다. 문학작품은 우주가 하나의 형태로 결정화되고, 고정되지 않고 결정적이지 않으며 치명적일 정도로 경직된 게 아니라 유기체처럼 살아 있는 의미를 획득하는 최소한의 영역 중 하나이다.

시는 우연의 큰 적이다. 시가 우연의 딸이기도 하며 마지막 순간에 우연이 승리하리라는 것을 알고 있기는 하지만 말이다. [주사위 던지기가 결코 우연을 없애지는 못하리라.] 말라르메는 수정같이 완벽한 언어들을 불가피한 엔트로피의 승리와 대비시킨다. 물론 그 언어들의 본질이 우주가 지향하는 것, 그러니까 부정, 부재, 무無와 동일하다는 것을 알고 있기는 하지만 말이다. 그의 『시집』을 여는 소네트의 첫째 연의 첫 단어는 Rien[3]이다. 이 소네트로 시작에 관한 나의 강의를 마치고 싶지만 그전에 말라르메가 제시한 마지막 관점을 기억해야만 한다. [모든 것은 / 이 세상에 / 책으로 완성되기 위해 존재한다.] 좀 더 나아가서, 말라르메는 이 책, 이 유일한 책이 "이 땅에 대한 오르페우스적 설명"이 되어야만 한다고 말한다.

나의 둘째 강의에서는 현대문학의 이런 유혹 혹은 소명(관점에 따라서는)을 다룰 것이다. 우주를 품고 있는 책, 우주와 동일시되는 책에 대한 것이다. 그리고 특히 나는 백과사전이 되어 가는 현대소설의 경향을 고찰해보려 한다. 오늘 밤 내가 문학작품 외적인 무엇, 즉 다양한 가능성들, 작품의 전후에 나타나는 것과 〈대면했다면〉 다음 강의에서는 이 다양성이 작품에서 어떻게 재창조되는지를 주목해보려 한다. 우주에 대한 이미지들이 무와 동일시될 수 있기 때문에, 무를 완벽하게 표현하려는 특별한 책에 대해 말하려 한다. 그러나 나는 전체와 무 이외에 셋째 대안도 간과하지 않을 것이다. 그것은 바로 무엇인가와, 유일성을 지닌 제한된 대상과의 동일시이다. 말라르메 시의 첫 부분 Rien을 언

3 — '아무것도'를 뜻하는 프랑스어의 부정대명사.

급하며 시작에 관한 나의 강의를 마쳤다. 결말에 관한 강의를 마무리하기 위해 베케트의 후기 작품인 [오하이오 즉흥극]을 기억해보려 한다. 하얗게 센 긴 머리에 길고 검은 외투를 입은 똑같이 생긴 두 노인이 탁자에 앉아 있다. 한 노인은 낡은 책을 들고 읽는다. 다른 노인은 아무 말 없이 낭독하는 소리를 듣는다. 이따금 탁자를 톡톡 두드려 낭독을 중단시킨다. [할 말이 거의 남아 있지 않았다.] 그리고 슬프고 쓸쓸한 이야기를 읽어준다. 이 이야기를 읽고 또 읽어줄 사람이 도착할 때까지 이 이야기를 듣는 자가 틀림없을 한 남자의 이야기이다. [할 말이 거의 남아 있지 않았다.]라는 마지막 문장에 이르기까지 그 이야기는 짐작하기 어려울 정도로 읽히고 또 읽힌다. 그 문장을 기다리지만 아직은 뭔가 할 말이 남아 있을지도 모른다. 어쩌면 세상에서 처음으로 모든 이야기의 고갈에 대해 이야기하는 작가가 있을지도 모른다. 그러나 이야기가 고갈되었다 해도, 이야기할 게 거의 남아 있지 않다 해도 이야기는 여전히 계속될 것이다.

후기[1]

조르조 만가넬리

칼비노는 길고 굽이진 작가의 여정에서 어느 순간 자신이 수사학적 열정에 사로잡혀 있음을 알아차렸다. 그는 소리 없이, 고집스레, 드러내지 않고 경건하게 그 열정에 몰두했다. 이는 선명함을 추구하는 열정이었다. 칼비노는 언제나 투명함을 추구하던 작가였다. 하지만 이제 문제는 투명함이 아니라 선명함인데 어쩌면 이것은 투명함의 반대일지도 모른다. 투명함은 예리하고 솔직한 것을 목표로 하며 일차원적이고 매끈하며, 굽이진 골짜기들을 알지 못하고 속이 비치는 페이지를 가정한다. 하지만 선명함이 드러내는 것은 전혀 다르다. 그것은 페이지 너머에, 옆에, 주위에, 뒤에 있는 것을 정확히 볼 수 있는 능력과 숙명적인 소명이다. 그 페이지는 다차원으로, 무한한 차원으로 펼쳐지며 마법적이고 환각적이고 수수께끼 같지만, 이는 항상 선명함 덕분

1 — G. 만가넬리가 1988년 6월 10일 〈일 메사제로〉지에 발표한 논문 「표면의 깊이」, 이후 『개인 선집』(Rizzoli, 1989, pp.163~6)에 「칼비노」라는 제목으로 수록한 글이다. (원주)

에 얻을 수 있다. 그와 같은 선명함의 모델은 거울이다. 거울은 겉으로 보기에는 선명하고 균일하지만 다양하고 수많은 이미지들을 받아들일 수 있다. 모두가 더할 나위 없이 명확하고, 이름이 붙여지고 묘사되기를 갈망하지만 손으로는 만질 수도, 도달할 수도 없는 이미지들이다. 사물이 아니라 이미지들이다. 거울의 선명함을 발견함으로써 칼비노는 동화, 신화의 길로 들어섰으며 어둠과 직접 대면하고 수수께끼와, 그러니까 "수수께끼처럼 불가사의하고 희한한 인물"들과 겨룰 수 있었다. 하지만 수수께끼는 놀이이기도 하다. 칼비노는 수수께끼가 놀이 형식에서 벗어나는 것을 용인하지 않을 것이다. 이러한 영리함, 어린아이 같은, 슬기로운 고집스러움이, 종종 비사실적인 글을 쓰는 작가들이 빠지기 쉬운 유혹, 그러니까 깊이를 추구하려는 유혹에서 그를 보호해주었다. 그는 호프만스탈의 영리한 경구에 동의한다. "깊이는 숨겨져 있다. 어디에? 표면에." 그러니까 이게 바로 거울이 하는 일이 아닐까?

하지만 거울의 매끄러운 표면보다 더 놀이와 수수께끼를, 환영과 선명함을, 영감과 침묵을 받아줄 뭔가가 있을지도 모른다. 그것은 하나의 거울과 마주보고 있는 다른 거울이다. 이 둘째 거울에 첫째 거울에서 손으로 만질 수 없는 투명한 것이 모두 들어 있을 것이다. 하지만 새로운 놀이,

수수께끼에 답하는 수수께끼, 묘사의 묘사도 빠지지 않을 것이다. "미술관에서 한 남자가 어떤 도시의 풍경화를 바라보고 있다. 그런데 이 풍경화는 열려 있어서 풍경화와 그것을 바라보는 남자가 있는 미술관도 그 안에 포함된다."

호프만스탈의 말을 비롯한 이러한 인용들은 칼비노의 마지막 책—완결되고 정점에 달한—『이탈로 칼비노의 문학 강의』(이하 『강의』)에서 발췌한 것이다. 『강의』는 놀랄 만큼 이중적으로, 문학에 대해 이야기하는 문학 텍스트이다. 그리고 정확히 말하자면 둘째 거울, 글을 쓰는 사람도 거울 속 인물로 변형시키는 둘째 거울이다. 이것은 선명함의 승리이다. 문학에 대한 문학인 칼비노의 『강의』는 바로 이러한 선명함의 위험한 정점에 위치한다. 문학 담론의 모든 모호함, 이중성, 끝을 알 수 없는 피상성에 환한 빛을 비추는 선명함이다. 모든 것이 선명하지만 투명하지는 않다. 모든 게 엄밀하지만 고정된 것은 전혀 없다. 모두 "그곳에 있지만" 만질 수는 없다.

시작 부분에서 칼비노는 이미 신화를, 그리스 신화 가운데 중요한 신화를 인용한다. 페르세우스는 메두사를 직접 보는 게 아니라 그녀를 탐색하고 거울을 보고 공격해서 메두사의 목을 베어 죽일 수 있었다. 페르세우스가 메두사의 얼굴을 직접 보지만 않으면 치명적이면서 놀라운 이 머리는 페르세우스의 손에서 오히려 무시무시한 무기가 될 것이다. 오비디우스를 언급하면서 칼비노는 메두사의 머리는 공포의 대상일 뿐만 아니라 다소 신비한 사랑의 형상이기도 하다는 점에 주목한다. 페르세우스는 "신선한 호의"로 푹신한 나뭇잎들 위에 머리를 내려놓는다. 메두사와 접촉한 해초들은 산호가 된다. 이 감탄할 만한 신화에 매료된 칼비노는 어떤 설명도 덧붙이지 않는다. 선명함에서 투명함으로 옮겨 가길 거부한다. 불명료함은 그것 자체로 명료하다.

어쩌면 문학에 관한 이 책에서처럼 칼비노는 미궁, 거울로 된 복도, 자신의 문학이 빚어내는 환상적 풍경들 속으로 여행한 적은 없었을 것이다. 이는 기분 좋고 매력적이며 강한 전율이 느껴지는 여정으로 순간적으로 스치는 불안감을 안고 빠르게 출발한다. 그런 미소와 두려움으로, 힘이 있지만 낯선 마법사의 손을 잡는다. 아, 그는 자신이 안다고 생각하는 것보다 훨씬 더 많은 것을 알고 있는데 중요한 것은 그가 덧붙여 설명하지 않고 자신을 해석하지도 않는다는 점이다. 그러니까 자신이 많은 것을 알고 있다는 사실을 이해하지 못한다. 놀이를 하는 사람들 중 최고는 놀이의 일부가 되는 사람이다. 하지만 칼비노적 담론의 다의성이 여전히 드러난다. 작가가 모른다는 것은 모른다는 것을 안다는 것에, 또 능숙한 거울의 유희에 바탕을 두고 있다. 모른다는 것을 아는 것이 모르는 것보다 훨씬 더 지혜롭다. 아니, 모른다는 것은 알지 못할 뿐만 아니라 이해하지도 못한다는 말이다.

이 책은 '가벼움', '신속성', '정확성', '가시성', '다양성'이라는 문학적 이미지와 똑같은 제목의 다섯 장으로 나뉘어 있다. 나는 이 장들을 환상적인 다섯 강의로 읽는 게 좋으리라 생각한다. 아마 중요한 『천일야화』의 처음 다섯 편 같은 이야기로 읽어도 좋을 것이다. 이 다섯 편은 『천일야화』의 이야기들처럼 "공중에 떠 있는 모습들"로 가득하다. 뿐만 아니라 쉴 새 없이 주위에 떠돌아다니는 문학적인 형상은 "공기"라고 말하고 싶다. 이것은 다양할 뿐만 아니라 이질적인 사물들과 비사물까지 접촉하며, 숫자와 성城, 상징과 존재하지 않는 동물과도 접촉한다. 『천일야화』의 마법사들처럼 칼비노의 자연적 정신적 장소는 공기이다. 바람의 자극에 열려 있고 자아에 의해 좌우되지 않고 어떤 경우든 얼굴을 알 수 없는, 강한 혹은 부드러운 활력이 살아 있는 공간이다.

칼비노는 수정과 불꽃이라는 두 가지 형식의 도전을 받는다. 하지만 내가 말하고 싶은 것은 수정의 차가움도, 불꽃의 뜨거움도 직접 느껴지지 않는다는 점이다. 둘 다 거울에 비춰지는데 거울에서는 두 개의 형식으로만 존재할 뿐이다. 그래서 불타오르는 도시는 조용하며 죽은 행성처럼 차갑다.

나는 칼비노가 레오파르디 또는 오비디우스를 인용했듯이, "문학의 본질에 관하여"를 이야기한 칼비노의 이 산문시, 『강의』의 몇 줄을 인용하고 싶다.

각기 다른 장에서 인용할 두 개의 문장을 통해, 얼마나 정밀한 수사학이 이 매혹적인 표면을 숨기고 있는지를 직감할 수 있다. "글쓰기는 […] 이야기를 이끌어 나갈" 것이다. 이 문장에 이어 놀라운 문장을 인용하려 한다. "산문 서사에서는 사건들이 서로 운율을 맞춘다." 또 다른 인용문은 어두운 지하통로를 통해 메두사의 신화와 연결되는 것 같다. "언어의 음악을 통해 시행들이 전달하고자 하는 것은 언제나 달콤함의 감각이기 때문이다. 이는 심한 고통의 경험들을 설명할 때에도 마찬가지이다." 여기서는 레오파르디를 인용했는데, 이러한 이야기는 문학 담론이 "어둠"으로 있을 수는 없고 오로지 맑고 차가운 거울, 유희적이고 은밀하게 행복을 느끼기도 하는 거울로 있을 뿐이라는 것을 나타낸다. 결론적으로 칼비노에 대한 모든 논의는 수사학이라는, 미스터리하고 다의적이며 상징적인 정점으로 이어진다. 선명함은 영감의 불순한 유혹을 거부한다. "상상력

교육”이 한결 낫다. 수사학은 자동적으로 떠오르는 것의 매력, 혼란스러운 상상의 힘에 맞서는 확실한 방어책이다. 작가의 착각은 자신이 정말 문학적인 힘을 소유하고 있으며, 궁극적으로 거울은 존재하지 않는다는 것이다. 하지만 거울이 말하는 바는 무엇일까? 여전히 문학이다. 세계, 공간, 우주로서의 문학 말이다. 칼비노의 말처럼 “문학은 무한한 목표를 세울 때에만 살아남는다.”

인용 출전

칼비노가 본문에서 인용한 작품들의 이탈리아어 번역판 목록이다.

Honore de Balzac, *Il capolavoro sconosciuto*, traduzione di Carlo Montella e Luca Merlini, Passigli Editori, Firenze 1983.

Roland Barthes, *La camera chiara*, traduzione di Renzo Guidieri, Einaudi, Torino 1980.

Cyrano de Bergerac, *L'altro mondo ovvero Stati e imperi della Luna*, traduzione di Giovanni Marchi, Edizioni Theoria, Roma 1982.

Thomas De Quincey, *Il postale inglese*, traduzione di Roberto Barbolini, Cappelli, Bologna 1984.

Emily Dickinson, *Poesie*, traduzione di Margherita Guidacci, Rizzoli, Milano 1979.

Douglas R. Hofstadter, *Godel, Escher, Bach: un'Eterna Ghirlanda Brillante*, traduzione di Settimo Termini, Adelphi, Milano 1984.

Ignacio de Loyola, *Gli esercizi spirituali*, traduzione di Pio Bondioli, Societa Editrice «Vita e pensiero», Milano 1944.

Henry James, *La belva nella giungla*, traduzione di Carlo Izzo, Bompiani, Milano 1980.

Robert Musil, *L'uomo senza qualita*, traduzione di Anita Rho, Einaudi, Torino 1957.

Charles Perrault, *I racconti di Mamma l'Oca*, traduzione di Elena Giolitti, Einaudi, Torino 1957.

Marcel Proust, *Alla ricerca del tempo perduto - La prigioniera*, traduzione di Paolo Serini, Einaudi, Torino 1978.

Raymond Queneau, *Segni, cifre e lettere*, traduzione di Giovanni Bogliolo, Einaudi, Torino 1981.

William Shakespeare, *Romeo e Giulietta*, traduzione di Cesare Vico Lodovici, Einaudi, Torino 1960.

__________________, *La tempesta*, traduzione di Cesare Vico Lodovici, Einaudi, Torino 1960.

__________________, *Come vi piace*, traduzione di Cesare Vico Lodovici, Einaudi, Torino 1960.

Jonathan Swift, *I viaggi di Gulliver*, traduzione di Carlo Formichi, Mondadori, Milano 1983.

Paul Valery, *Monsieur Teste*, traduzione di Giorgio Agamben, Il Saggiatore, Milano 1961.

_________, *Varieta*, traduzione di Stefano Agosti, Rizzoli, Milano 1971.

_________, *Quaderni*, traduzione di Ruggero Guarini, Adelphi, Milano 1985.

옮긴이 후기

이현경

우리가 2000년대의 문턱을 넘은 지 벌써 20여 년이 지났다. 새로운 밀레니엄을 앞두고 품었던 기대와 우려는 이제 어디서도 찾아볼 수 없고 새로운 시대는 현재가 되어 있다. 그러나 20세기가 저물어 갈 무렵에는 지난 천년을 되돌아보고 앞으로 다가올 천년을 예측하고 준비하는 일이 각 분야에서 일어났다. 문학계에서는 책의 종말이나 저자의 죽음 같은 문제들이 새 천년과 더불어 더욱 부각되기도 했다. 『이탈로 칼비노의 문학 강의』(이하 『강의』)는 이런 맥락과 맞닿아 있다.

이 책은 칼비노 사후 1988년에 출간되었다. 그의 아내인 에스더 칼비노에 의해 『미국 강의』라는 제목이 붙여졌으나, 칼비노가 생각했던 제목은 '다음 천년기를 위한 여섯 가지 메모Six Memos for the Next Millennium'였다. 이 제목은 여섯 번의 강의 내용을 압축적으로 보여준다. 그러니까 칼비노는 문학의 미래가 불투명한 상황에서 다가오는 새로운 천년기에도 유효할 문학의 가치와 특징을 여섯 가지 주제로 나누어 강연할 계획이었다.

20세기 이탈리아의 대표적인 작가로 문학평론을 하기도 했던 칼비노는 강의의 주제와 관련해서 여러 작가의 작품을 인용할 뿐만 아니라 자신의 글쓰기 전반을 되돌아본다. 칼비노는 이미 여섯 가지 '가치'를 염두에 두며 글을 써왔다. 칼비노는 환상문학 작가로 알려져 있지만, 그의 작품 세계는 한마디로 정의하기 어렵다. 그는 제2차 세계대전 직후 작품 활동을 시작했는데 당시에는 네오리얼리즘이 이탈리아 문학계에서 주류를 형성하고 있었다. 칼비노의 첫 소설 역시 네오리얼리즘의 영향을 받았지만, 이 책의 '가벼움'에서 말하듯 현실을 재현해야 한다는 의무를 의식하면 할수록 세상이 돌로 변해 가는 기분을 느꼈다. 또한 네오리얼리즘적인 방식으로는 빠르게 변화하는 현실을 포착할 수 없다고 생각해 새로운 길을 탐색하게 되었고 그로부터 환상성이 두드러진 작품들이 탄생했다.

그러나 칼비노는 글쓰기의 대상이 되는 현실에 대한 관찰을 한시도 게을리하지 않았다. 그는 다양하고 이질적이며 파편화되고 복잡하게 뒤얽힌 세상, 구별되지 않는 불투명한 면들을 가진 현실 세계를 '미궁'으로 파악하고 이런 미궁 앞에서 문학의 역할과 글쓰기 문제에 대해 성찰한다. 칼비노는 작가의 역할이 복잡한 현실의 미궁을 이성적으로 파악하고 언어를 통해 그 지도를 그리고 출구를 찾는 데 도움이 되는 가장 좋은 태도를 제시하는 것이라 생각한다. 즉 그렇게 찾은 출구가 또 다른 미궁으로 이어질 뿐이라 해도 미궁에 굴복하는 것이 아니라 계속 도전하는 것, 독자가 미궁 속에서 길을 찾아가는 주체로서의 자신을 발견하도록 돕는 게 작가와 문학의 역할이라는 것이다.

미궁에 도전하는 글쓰기를 지향하는 태도는 1960년대와 1970대에 걸쳐 발표한 칼비노 작품을 이루는 토대가 된다. 그러한 도전은 작품마다 다른 형태로 나타나지만 작품을 관통하는 큰 줄기는 환상성이다. 그것은 때로는 동화적인 방법으로(『반쪼가리 자작』 『나무 위의 남작』 『존재하지 않는 기사』), 과학적 수학적 방식으로(『우주 만화』, 『티제로』), 구조주의와 기호학의 영향을 받아(『보이지 않는 도시들』 『교차된 운명의 성』), 또는 하이퍼소설이라는 새로운 방식을 통해(『어느 겨울밤 한 여행자가』), 철학적 성찰로서(『팔로마르』) 탄생한다. 칼비노는 『강의』에서 다섯 가지 주제와 관련해 자신의 작품들을 모두 언급한다. 따라서 이 책은 칼비노가 작품을 통해 보여주려 했던 의도를 살펴보는 데에도 도움이 될 것이다.

강의는 칼비노가 중요하다고 생각하는 순서에 따르는데, 그는 가장 먼저 '가벼움'을 이야기한다. 칼비노는 오비디우스, 루크레티우스, 카발칸티, 단테, 셰익스피어, 레오파르디, 카프카, 쿤데라 등 여러 시대의 많은 작가들을 언급하면서 현대 인간에게나 작가에게 가벼움은 결함이 아니라 오히려 추구해야 할 가치일 수 있음을 보인다. 칼비노는 부정적이고 극적인 요소들로 가득 찬 복잡한 현실 앞에서 훌륭한 작가는 언어와 이야기의 구조에서 "무게를 제거"할 수 있어야 한다고 확언한다. 칼비노 자신은 때로는 인간의 모습에서, 때로는 천체에서, 때로는 도시에서 무게를 제거하려 했으며 무엇보다도 이야기의 구조와 언어에서 무거움을 제거하려 했다고 말한다.

칼비노는 그 누구도 메두사의 시선을 피할 수 없는 것처럼 세상이 돌로 변해 간다는 느낌을 받을 때마다 페르세우스가 자신을 구하러 왔다고 말한다. 메두사의 머리를 벤 페르세우스의 힘은 직접 보기를 거부한 데에 있다. 날개 달린 샌들을 신은 페르세우스는 가장 가벼운 것 위에서, 즉 바람이나 구름 위에 서서 간접적으로 볼 수 있는 것으로 시선을 돌린다. 이어지는 신화에서는 고르곤의 피에서 날개 달린 말 페가수스가 탄생한다. 칼비노에게 가벼움은, 메두사의 피에서 태어난 페르세우스의 날개 달린 말 페가수스처럼 무거움에서 탄생한다. 무거움이 없다면 가벼움은 존재할 수 없다. 가벼움이란 경솔하거나 불안정한 것이 아니며 경쾌함과 결부되지도 않는다. 가벼움은 세상이 돌로 굳어져 가거나 불투명해지는 것을 막는 역할을 한다. 가벼움과 무거움은 동전의 양면처럼 결합하기도 하고 대립하기도 한다.

칼비노는 돌로 굳어지지 않기 위해서는 현실을 간접적으로 바라보라고 말한다. 그는 현실을 더욱 잘 관찰하고 이해하기 위해 거리를 두고 바라보아야 할 필요를 느낀다. 무거움에서 달아나거나 꿈이나 비현실 세계로 숨으라고 말하는 게 아니라 접근 방법을 바꾸라고, 다른 시각과 논리를 가지고 현실과 존재를 대면하라고 권한다.

보카치오의 『데카메론』에 등장하는 시인이자 철학자 카발칸티는 짓누르는 세상의 무게로부터 갑작스럽고 민첩한 도약을 하는데, 칼비노는 이런 도약을 새 천년을 위한 상징으로 선택한다. 카발칸티는 "세상의 무거움 위에 올라서서, 자신의 무거움 속에는 가벼움의 비밀이 숨어 있는 반면, 많은 사람이 시대의 활력이라 믿고 있는 가벼움은 시끄럽고 공격적이며 불안정하고 요란하며, […] 죽음의 왕국에 속한다는 것을 보여준다." 카발칸티는 사랑의 고통 같은 진지하면서도 결코 가볍지 않은 주제를 감지할 수 없는 이미지와 실체를 통해 다룬다.

또 칼비노는 언어에서 모든 무게를 제거한 시인으로 레오파르디를 언급한다. 레오파르디는 열다섯 살에 이미

천문학사를 썼을 정도로 천재적인 시인이었으나 평생을 병마에 시달리다 서른아홉이라는 젊은 나이에 세상을 떠났다. 참을 수 없는 삶의 무게에 대해 끊임없이 생각했던 레오파르디는 투명한 달과 같은 가벼움의 이미지를 손에 넣을 수 없는 행복이라고 생각한다. 칼비노 자신이 "달의 시인"이라고 칭한 레오파르디를 '신속성'과 '정확성'에서도 인용하며 레오파르디에 대한 편애를 숨기지 않는다.

칼비노는 폴 발레리의 말을 인용해 조언하기도 한다. 중력의 법칙에 의해 땅에 떨어지는 깃털처럼 가벼워질 게 아니라, 공기를 가르며 자신의 의지에 따라 하늘을 날고 어떻게 움직이는지를 결정하는 새처럼 가벼워지라고. 세상은, 그러니까 거리를 두고 가볍게, 집중하며, 불안정하지 않게, 경쾌함과는 다른 개념으로 마주해야 한다. 삶은 무겁고 권태롭고 불확실하지만 가벼움이 그 무게를 덜어준다. 하지만 가벼움, 환상, 상상력은 곧 이성의 바위에 부딪혀 산산조각이 난다. 그래서 힘겨운 삶으로의 회귀는 피할 수가 없다. 밀란 쿤데라의 『참을 수 없는 존재의 가벼움』은 우리가 가벼운 것이라 판단하여 선택하거나 높이 평가하는 모든 것이 곧 자신의 무게를 드러낸다는 것을 보여준다. 스스로 설정한 목표를 통해, 목표에 도달하는 데 필요한 힘겨움을 통해 가벼움을 찾아야 하는 건 바로 우리 자신이다. 삶의 여정은 무거움과 참을 수 없는 가벼움이 공존하는 과정이다.

두 번째 강의에서는 '신속성'을 다룬다. 여기서 신속함은 빠름을 의미하는 게 아니라 훨씬 더 복합적인 의미를 지닌다. 칼비노는 카롤루스 대제의 전설로 강의를 시작하며 그에 관한 프랑스 작가 바르베 도르비이의 작품을 언급한다. 같은 전설은 다른 방식과 스타일로 여러 작가에 의해 다시 쓰였지만 칼비노는 도르비이의 작품을 좋아한다고 말한다. 이유는 이야기의 경제성, 즉 신속성 때문이다. 칼비노도 한때 이야기의 경제성, 리듬, 그리고 이야기가 전개되는 본질적인 구조 때문에 동화에 매력을 느꼈다고 말한다. 표현의 경제성이라고 하면 어떤 종류의 수사도 허용하지 않는 것이라고 추론할 수도 있다. 하지만 신속성은 시간에 대항하는 질주가 아니다. 그것은 차이를 두고 시간을 분배하는 기술이다. "실생활에서 시간은 우리가 아끼는 재산이다. 문학에서 시간은 느긋하게 거리를 두며 사용할 수 있는 재산이다. […] 문체와 사고의 신속성은 특히 민첩성, 이동성, 편리함을 의미한다. 이런 특징들은 이탈할 준비가 된 글쓰기, 한 주제에서 다른 주제로 도약하며, 100여 번씩 방향을 놓쳤다가 100여 번을 빙빙 돌고 난 뒤 방향을 되찾을 준비가 된 글쓰기에 관련된다."

신속성은 물리적인 속도가 아니라 물리적인 속도와 정

신적인 속도 사이의 관계이다. 신속성이란 그것 자체로 가치를 지니지는 않는다. 가벼움에 무거움에 대한 존중이 내포되어 있었듯이 신속성은 지연이라는 반대 가치를 통해 의미를 갖는다. "서사에서의 시간은 늦춰질 수도 있고 순환할 수도 있으며 움직이지 않을 수도 있다. 어쨌든 이야기는 지속되는 시간을 토대로 한 활동이며, 시간의 흐름을 따라 움직이며 시간을 늦추거나 빠르게 하는 마법이다."

칼비노는 이야기의 이탈과 반복에 대해서도 언급하는데, 그것들은 작가가 의식적으로 이용하는 도구일 뿐만 아니라, 사건의 시간적인 차원을 독자에게 적절한 방식으로 전달하기 위해 필요한 수단이기도 하다. 칼비노는 『신사 트리스트럼 섄디의 인생과 생각 이야기』에 관한 카를로 레비의 서문에서 이탈에 관한 한 구절을 인용한다. "만약 운명적이고 피할 수 없는 두 점 사이의 가장 짧은 선이 직선이라면 이탈은 그것을 길게 연장할 것이다. 그리고 만약 이러한 이탈들이 너무나 복잡하고 얽히고 꼬여 있으며 흔적을 찾을 수도 없을 정도로 빠르게 진행된다면 죽음이 더 이상 우리를 찾지 않게 될지, 시간이 길을 잃을지, 우리가 자꾸 바뀌는 은신처에 숨을 수 있을지 누가 알겠는가."

그러나 칼비노는 이탈보다는 직진을 선호한다고 밝힌다. 그는 무한히 뻗어 나가 도달할 수 없을 것 같아 보이는 직선에 자신을 맡기기를 좋아한다. 또한 시공간적으로 멀리 떨어져 있는 점들을 포착하고 연결하는 것을 목표로 하며 내적인 에너지와 정신의 움직임에 상응하는 것을 찾았다. 그에서 비롯된 상상의 흐름들은 적절한 표현을 찾지 못할 경우 문학적으로 아무런 결과도 얻을 수 없는 것이다. 시인과 마찬가지로 작가 역시 만족스러운 언어 표현을 찾을 때에만 그러한 결과를 얻을 수 있다. 시를 쓰건 산문을 쓰건 "글쓰기는 꼭 필요하고 유일하며 치밀하고 간결하며 기억에 남을 만한 표현법을 탐구"하는 것이다. 그러한 긴장감은 긴 텍스트에서는 유지하기 어렵기 때문에, 그리고 기질상 거기에 끌리기 때문에 칼비노는 짧은 텍스트를 선호한다. 『우주 만화』와 『티제로』는 이야기가 짧은 시간 동안 펼쳐지는 단편소설이고, 『보이지 않는 도시들』과 『팔로마르』는 우화와 짧은 산문시의 중간 정도에 해당한다.

칼비노는 특히 짧은 글쓰기의 거장으로 보르헤스를 들며 "투명하고 절제되고 경쾌한 문체로, 최소한의 막힘도 없이 무한을 향해 자신의 창을 열어 간" 작가로 소개한다.

세 번째 강의 주제는 '정확성'이다. 칼비노는 언어가 부주의하고 대략적으로 사용되고 있다고 말한다. 작가인 그가 보기에 그것은 매우 유감스러운 일이다. "인간의 특징을 무엇보다 잘 드러내는 인간의 능력, 곧 언어 사용 능력이 페스트에 걸린 것처럼 보이기도 한다." 이 때문에 정확성은 새로운 천년의 문학적 가치가 될 수밖에 없다. 문학만이 "언어의 페스트"가 확산하는 것을 멈출 수 있기 때문이다. 그러니까 정확성은 잘 정의된 작품의 가치를 의미하는 것일 뿐만 아니라 가능한 한 정확한 언어의 사용을 의미한다. 어휘의 측면에서만이 아니라 미묘한 생각과 상상력을 표현하는 데서도 마찬가지이다.

칼비노는 정확성만을 중요시하는 게 아니라 그 반대인 모호함의 가치도 가볍게 생각하지 않는다. 사실 모호한 것도 그것을 다루는 방식에 따라서는 정확할 수 있다고 주장한다. 이런 이론을 증명하기 위해 다시 레오파르디를 언급한다. 가벼움에서와 마찬가지로, 이 위대한 시인의 시각에서 달의 중요성을 분석한다. 모호함과 무한의 시인인 레오파르디는 자신이 사랑하는 달을 묘사할 때는 매우 정밀하고 정확한 언어를 사용한다. 그는 달의 모든 면을 상세히 알고 있다. 또한 레오파르디는 무한 속에서 자신을 잃고 난 뒤, 아주 정확하게 "이 무한의 바다에서 조난을 당하여도 내게는 달콤할 뿐이니"라고 말하며 그 무한을 포착한다.

한편 칼비노는 수정(특유의 구조들이 지니는 불변성과 규칙성의 이미지)과 불꽃(비록 내부에서는 끊임없이 동요하지만 전체 외형이 지닌 불변성의 이미지)의 대립적 이미지에 대해 이야기한다. 자신은 "수정을 신봉하는 사람"으로 수정을 완벽함의 상징으로 생각해 왔다고 고백한다. 그러나 "존재 방식으로서, 존재 형태로서 촛불의 가치"도 잊지 말아야 한다고 말한다. 이것은 불꽃의 추종자들도 견지해야 할 자세이다.

또한 그에게 도시는 "기하학적 합리성과 인간 존재들의 뒤얽힘 사이의 긴장"을 표현할 수 있는 복잡한 상징으로, 도시에 관한 책인 『보이지 않는 도시들』에 자신의 모든 성찰, 경험, 가정을 집중시켜 가장 많은 것을 이야기했다고 말한다. 이 작품은 모든 짧은 텍스트가 하나의 연결망으로 기능하며 다른 텍스트와 근접한 다면적 구조를 형성하는데, 다양한 노선을 추적하고 다양한 결론을 내릴 수 있다.

상상력의 중요성을 이야기하는 '가시성'은 네 번째 강의의 주제로, 강의는 「연옥」의 한 구절, "그러고 나서 까마득한 환상 속으로 비가 내리듯 나타났다"로 시작된다. 칼비노는 환상을 가진 존재로서의 인간을 서술하기 위해, 삶을 완전히 살아내고 삶의 고유한 본질을 발견하고 가꿔 나갈 인간의 특권을 서술하기 위해 이러한 문장을 인용한다. 여기서 칼비노는 우리를 이미지 생성 과정으로 안내한다. 그는 한편에는 가시적인 이미지에 도달하기 위해 언어에서 시작하는 과정이 있고 다른 한편에는 언어를 보완하기 위해 이미지에서 출발하는 과정이 있다고 말한다. 대개 문학에서는 첫 번째 과정으로 진행하지만 칼비노는 훌륭한 작가란 이미지에서 시작해서 언어를 통해 생생하고 활력 있는 이미지를, 의미가 가득하고 상징적인 이미지를 독자에게 불러일으킬 수 있어야 한다고 주장한다.

칼비노는 자신의 이야기의 원천에는 시각적인 이미지들이 있었다고 말한다. 이야기를 구상할 때 의미를 담은 이미지가 떠오르는데, 그 이미지가 머리에서 충분히 명확해졌을 때 그것을 이야기로 발전시키는 것이다. "좀 더 정확히 말하자면, 숨겨져 있던 잠재력을, 내부에 들어 있던 이야기를 펼쳐 나가는 주체는 바로 이미지 자체이다." 하지만 『우주 만화』에서는 과학적 진술이 강렬한 이미지 창조를 위한, 그리고 글쓰기를 위한 출발점이 된다. "아주 전문적인 과학 서적이나 아주 추상적인 철학 서적을 읽다가도 예기치 않게 비유적 환상을 자극하는 구절을 만날 수 있다."

한편 칼비노는 우리가 기본적인 인간 능력 하나, 즉 이미지를 통해 생각할 능력을 잃을 위험에 처해 있음을 경고하기 위해 '가시성'을 보호해야 할 가치로 강조한다. 오늘날 우리는 수많은 이미지의 폭격을 받아 자신이 직접 본 것과 미디어에서 보았던 것을 구별할 수도 없을 정도이다. 기억은 수많은 이미지의 파편에 뒤덮여 있어 그중 하나가 부각되기가 점점 어려워진다. 그러므로 넘쳐나는 시각적 이미지의 인플레이션을 경험하는 현대사회에서 훌륭한 작가는 이미지를 다시 이용해서, 의미의 변화를 가져오는 새로운 맥락 안에 삽입시키거나 아예 처음부터 만들기 시작해서 새로운 전망을 창조해야 한다.

다섯 번째 강의이자 마지막 강의에서는 '다양성'을 다룬다. 다양성은 새로운 시대의 문학과 관련된 가치이다. 칼비노는 이 강의에서 현대소설을 "백과사전"으로, 사물들 사이에 존재하는 다양한 관계들과 현재진행형이며 잠재적인 관계들을 표현하는 망으로 바라본다. 이를 예시하기 위해 먼저 카를로 에밀리오 가다의 소설을 인용한다.

가다는 소설을 사실들, 사물들, 사건들의 망으로 이해한다. 그는 풀 수 없을 정도로 뒤얽힌 복잡한 상황과 모든 사건들을 결정하는 이질적 요소들이 동시에 존재함을 보여주려 한다. 무질서, 부조화, 혼란스러운 현실을 만들어내기 위해 가다는 복합적인 언어, 진정으로 혼란스러운 언어를 사용한다. 그러한 언어로 쓰인 글은 다양한 현실을 표현하고 거기서 다양한 시각이 탄생한다. 칼비노에 따르면 가다의 텍스트의 이러한 다양성 한가운데에 관계의 망이 있는데 가다는 "세부 사항들을 배가시켜서 자신의 묘사와 주제를 벗어난 이야기들이 무한에 이르게 하며 그 관계망을 따라다니는 일을 멈출 줄 모른다.”

칼비노는 가다의 작품 이외에도 로베르트 무질의 『특성 없는 남자』, 마르셀 프루스트의 『잃어버린 시간을 찾아서』, 플로베르의 『부바르와 페퀴셰』, 토마스 만의 『마의 산』, 조르주 페렉의 『인생 사용법』 등을 백과사전적 소설로 간주하며 관련 내용을 인용한다.

칼비노가 분류한 다양성을 지닌 텍스트는 1) 단일한 목소리로 이야기하지만 다양한 차원에서 해석할 수 있도록 전개되는 단일 텍스트, 2) 세상에 대한 주체, 목소리, 시선의 다양성을 생각하는 유일한 ‘나’로 대체하는 다성적 텍스트, 3) 가능한 한 많은 것을 담아야 한다는 갈망 때문에 미완성으로 남은 작품들, 4) 철학에서 체계적이지 않은 사고에 상응하는 텍스트들이다.

이러한 고찰들을 통해 칼비노는 자신이 ‘하이퍼소설’이라 칭하는 『어느 겨울밤 한 여행자가』를 쓴다. 이 작품은 열 개의 소제목에 소설의 정수를 집중해서 보여준다. 이 소제목들은 “공통의 핵심을 아주 다양한 방식으로 전개하고 결정지으며, 그에 의해 결정되는 하나의 틀 안에서 움직인다.” 동일한 원칙을 바탕으로 쓰인 『교차된 운명의 성』은 많은 의미를 가진 타로 카드라는 상징적인 요소들이 출발점이 되었는데 이때 타로 카드는 이야기의 다양화를 위한 수단이 된다. 칼비노는 다음과 같은 말로 다양성 강연을 마무리한다.

> 만약 우리가 경험과 정보와 독서와 상상력이 조합되어 존재하는 것이 아니라면 우리는 누구이며 우리들 개개인은 누구인가? 모든 인생은 백과사전이고, 도서관이고, 사물들의 목록이고, 양식들의 견본이다. 이 속에서 모든 것이 계속 뒤섞이고 가능한 모든 방법으로 재정리된다.

여섯째 강의 주제가 되었을 '일관성'에서는 허먼 멜빌의 『필경사 바틀비』를 다룰 계획이었다는 것만 알려져 있다.

30여 년 전 『거미집으로 가는 오솔길』을 처음 번역했을 때 칼비노는 우리나라에 거의 알려지지 않은 작가였다. 그뒤 『반쪼가리 자작』 『나무 위의 남작』 『존재하지 않는 기사』가 함께 소개되며 차츰 독자들에게 알려지기 시작했고, 『보이지 않는 도시들』과 『우주 만화』가 차례로 번역되면서 칼비노라는 작가의 독특한 환상 세계가 주목받고 사랑받기 시작했다. 그렇게 해서 칼비노의 작품은 단편집 몇 권을 빼고는 모두 번역되었다. 칼비노를 읽고 번역하며 칼비노의 전

작품이 번역될 날을 꿈꿔보기도 했는데, 나 혼자만의 노력의 결실은 아니지만 그 꿈이 이루어진 셈이다. 그러나 번역 과정이 쉽지만은 않았다. 칼비노의 문체는 우리말로 옮기기에 너무나 까다로워서 때로는 번역을 맡은 것을 후회하곤 했다. 그래도 매번 색다른 칼비노의 세계는 그 자체로 매력적이었다.

칼비노가 마지막으로 남긴 『강의』는 아마 내게도 칼비노 작품의 마지막 번역이 될 것이다. 이 책에는 그의 작품들이 모두 언급되어 있어서 작품을 번역하며 미처 알아차리지 못했던 작가의 의도를 좀 더 명확히 알 수 있는 부분들도 있었다. 칼비노의 작품을 읽은 독자라면 각 강의의 주제와 작품이 어떻게 연결되는지를 살펴보는 것도 의미 있으리라 생각한다. 칼비노를 처음 접하는 독자의 경우에도 그의 작품을 미리 이해할 수 있는 좋은 기회가 되리라 본다.

새로운 천년기를 위한 『강의』가 쓰인 지 37년이 지났다. 이미 2000년대를 살고 있는 우리에게 칼비노의 조언은 시대에 뒤떨어진 것으로 여겨질 수 있다. 그러나 그가 말하는 다섯 가지 가치는 특정 시대와 상관없는 보편적이고 현재적인 의미를 가지고 있어 문학에 관심이 있는 사람이라면 깊이 생각해볼 문제라고 할 수 있다.

인명 찾아보기

Indice dei nomi

이탈로 칼비노의 문학 강의

새로운 문학의 길을 찾는 이들에게

지은이 — 이탈로 칼비노
옮긴이 — 이현경

2022년 7월 20일 초판 1쇄 펴냄

펴낸이 — 최지영
펴낸곳 — 에디토리얼
등록 — 제2020-000298호(2018년 2월 7일)
주소 — 서울시 마포구 신촌로2길 19, 306호
투고·문의 — editorial@editorialbooks.com
전화 — 02-996-9430
팩스 — 0303-3447-9430
홈페이지 — www.editorialbooks.kr
인스타그램 — @editorial.books
페이스북 — @editorialbooks
교열 — 박기효
디자인 — 동신사
제작 — 세걸음

ISBN 979-11-90254-08-3 03800
잘못된 책은 구입처에서 교환해드립니다. 책값은 뒤표지에 있습니다.

에디토리얼 홈페이지에서 도서목록과 출간 도서의 보도자료를
내려받을 수 있습니다. QR코드를 스캔하면 연결됩니다.